P7-EOH-288

D0253895

Le Passé en péril

Johanne Massé

Éditions Paulines

DU MÊME AUTEUR
DANS LA COLLECTION *JEUNESSE-POP*:

De l'autre côté de l'avenir

Contre le temps

Composition et mise en page: *Les Éditions Paulines*

Maquette de la couverture: *Jean-Pierre Normand*

ISBN 2-89039-460-3

Dépôt légal — 2e trimestre 1990
Bibliothèque nationale du Québec
Bibliothèque nationale du Canada

3965, boul. Henri-Bourassa Est
Montréal, QC, H1H 1L1

1

Porté disparu

Marc Greg était occupé à faire ses bagages. Heureux, il sifflotait distraitement. Il avait quatre semaines de congé devant lui et devait partir le lendemain avec Yana pour passer quelques jours sur la colonie martienne, un endroit qui le fascinait plus particulièrement.

— Marc, vous avez une visite, annonça une voix sortie de nulle part.

— Qui est-ce, Érim? demanda l'électronicien.

Il avait levé les yeux, geste inutile puisque la voix était celle d'un système informatisé. Malgré les nombreux mois écoulés, il ne pouvait encore s'habituer à son domestique électronique désincarné. Il le cherchait toujours du regard chaque fois qu'il lui adressait la parole.

— Yana, répondit Érim.

— Alors fais-la entrer.

Délaissant ses bagages, Marc Greg sortit de sa chambre juste comme Yana pénétrait dans son appartement. Marc lui sourit:

— Assieds-toi... Alors, tu es prête pour le voyage?

La jeune femme prit place dans un fauteuil, soupira:

— Je suis désolée, Marc. Je ne peux pas partir avec toi, du moins pas demain.

— Pourquoi? Que se passe-t-il?

— Un des observateurs dont je suis responsable manque à l'appel.

— Il ne s'est pas présenté à son rendez-vous mensuel?

— Non, et il a manqué les deux rendez-vous supplémentaires prévus en pareil cas. Remarque, il est possible qu'il se soit tout simplement brisé une jambe ou quelque chose du genre; mais je dois m'en assurer. Je ne t'en ai pas parlé avant parce que j'espérais le retrouver plus tôt.

— Je comprends.

La jeune femme vit que son ami tentait tant bien que mal de lui cacher sa déception. Elle aussi regrettait ce contretemps; ils planifiaient ce voyage depuis longtemps.

— Écoute, dit-elle enfin, si tu es prêt à patienter jusqu'au vol suivant, je pourrai peut-être t'accompagner.

— Nous avions décidé de faire ce voyage ensemble, alors je t'attendrai.

Puis voulant montrer qu'il ne lui en tenait pas rigueur, il lui demanda:

— Parle-moi un peu de cet observateur. Où se trouve-t-il au juste?

— En Irlande, au mois de juin 1847.

Yana vit l'expression de l'électronicien changer. Ce qu'elle venait de dire avait, semblait-il, éveillé son intérêt. Il s'était redressé et se penchait maintenant vers la jeune femme:

— Laisse-moi venir avec toi.

Sa requête prit Yana au dépourvu:

— Pourquoi? s'étonna-t-elle.

— Certains de mes ancêtres étaient irlandais et j'ai toujours été fasciné par ce pays. J'ai même déjà séjourné un été là-bas. Je pourrais t'être utile. Je sais bien que je ne parle pas le gaélique ou l'anglais de l'époque; mais ce n'est que pour quelques heures. Je pourrais me faire passer pour un sourd-muet. Qu'en dis-tu?

La jeune femme réfléchit un moment avant de répondre:

— Je ne peux rien te promettre, si ce n'est d'en parler à Svor, le directeur du service d'exploration temporelle. Lui seul peut décider.

Le visage de Marc Greg s'éclaira:

— Je n'en demande pas plus.

Yana ne dit rien. Le comportement de son ami l'intriguait. Jamais auparavant, elle ne l'avait vu faire preuve d'un tel enthousiasme. Il semblait même avoir totalement oublié leur projet de voyage sur Mars.

Marc ne lui était jamais apparu comme un amateur d'histoire. Alors comment expliquer cet intérêt soudain pour l'Irlande du XIXe siècle? *Décidément étrange,* conclut l'Australiane pour elle-même.

2

Destination: 1847

Les pensées de Marc Greg étaient occupées par l'image en noir et blanc d'une vieille femme au sourire figé. Il essayait de se la représenter soixante ans plus jeune et les cheveux roux (car il savait qu'elle avait été rousse), mais l'imagination lui faisait défaut.

Soudain, une voix résonna à ses oreilles:

— Nous y sommes.

Reportant son attention sur la réalité, l'électronicien reconnut la voix de Méluk, le temponaute avec lequel il avait déjà effectué une plongée dans le temps[1]. Marc retira son casque et se réjouit de constater qu'il se sentait beaucoup mieux qu'à sa plongée précédente ou que lorsqu'il avait été projeté dans le futur à bord du Pégase 1[2]. Le bourdonnement dans ses oreilles et la vague sensation de nausée ne tardèrent pas à se dissiper.

Yana, déjà debout, posa la main sur son épaule:

---

[1] Voir *Contre le temps.*

[2] Voir *Contre le temps* et *De l'autre côté de l'avenir.*

— Tu es prêt? Alors allons-y.

Ils saluèrent Méluk, puis débarquèrent du temposcaphe pour se retrouver dans une petite clairière au cœur d'un boisé de feuillus. L'électronicien jeta un dernier coup d'œil au temposcaphe avant qu'il ne disparaisse. Il était petit, capable d'émerger dans un espace limité et sa surface, d'un gris mat absorbant la lumière, ne présentait ni hublots ni marques d'identification susceptibles d'éveiller la curiosité.

Se retournant, Marc s'éloigna à la suite de Yana. Le jour se levait à peine; quelques oiseaux chantaient et voletaient d'arbre en arbre.

Le chant des oiseaux, pensa l'électronicien, *j'avais presque oublié que cela existait!* Il s'arrêta et respira à fond, remplissant ses poumons d'un air frais et odorant, plus pur encore que l'air des montagnes où il avait jadis l'habitude de passer ses vacances:

— Je pense que c'est ce qui me manque le plus à Australia, observa Marc, la nature, un refuge paisible loin du monde dit civilisé.

La temponaute ne dit rien. *Peut-être est-ce pour cela qu'il voulait venir,* pensa-t-elle. *Pour renouer avec la nature.*

Yana dut maintes fois relever le bord de sa longue jupe pour enjamber quelque branche morte. L'électronicien ne pouvait alors s'empêcher de sourire. Il était évident que la jeune femme n'appréciait guère la tenue qu'elle devait porter: robe au corsage serré et à la jupe large, châle, bonnet de lin et grossières chaussures de marche. Le tout suffisamment usé et rapiécé pour ne pas détonner.

Marc, quant à lui, s'accommodait fort bien de sa culotte serrée, sa chemise, sa veste sans manche et son chapeau. Il trouvait cependant ses chaussures raides et peu confortables.

Il leur fallut plusieurs minutes pour sortir du boisé et parvenir à un étroit chemin de terre qui devait les conduire au village où résidait Kiléon.

Ils suivaient ce chemin depuis un bon moment déjà lorsque trois personnes apparurent, venant en sens inverse. Dès qu'il les aperçut, Marc fronça les sourcils:

— Ils ne marchent pas vite, on dirait.

Sa compagne ne fit aucun commentaire. Au fur et à mesure que décroissait la distance les séparant, la surprise et la curiosité de l'électronicien grandissaient. Lorsque les trois Irlandais, deux hommes et un jeune garçon, furent suffisamment proches pour que Marc puisse les détailler à loisir, il dut faire un effort pour ne pas laisser voir sa surprise.

Les trois inconnus, les traits tirés et les yeux enfoncés dans les orbites, semblaient n'avoir plus guère que la peau et les os. Leurs vêtements, déjà maintes fois recousus et rapiécés, étaient en lambeaux. Le jeune garçon allait pieds nus. Marc Greg pensa aussitôt aux victimes des famines qui sévissaient en Afrique durant sa jeunesse.

Les deux groupes se croisèrent. Une lueur de curiosité s'alluma brièvement dans les yeux des Irlandais, mais aucun d'eux ne semblait avoir la force de s'arrêter pour interroger le couple. D'ailleurs, il était devenu fréquent de rencontrer des étrangers en route pour Dublin ou un autre port, où ils comptaient s'embarquer pour l'Amérique.

Dès qu'il jugea que les autres ne se trouvaient plus à portée de voix, Marc ne put s'empêcher de remarquer:

— Je savais que la famine sévissait en Irlande à l'époque, mais je ne pensais pas que c'était à ce point. Ce garçon n'avait pas plus de dix ou onze ans et il tenait à peine sur ses jambes. Est-ce que la majorité de la population est dans cet état?

— Malheureusement oui, d'après ce que rapportent nos observateurs.

— L'Irlande est un pays fertile, pourtant!

— Le problème vient de ce que la terre n'appartient pas aux Irlandais mais à de grands propriétaires anglais qui exportent tout ce qui rapporte et ne laissent aux paysans irlandais que les pommes de terre et quelques choux. Maintenant qu'une maladie a détruit toute la récolte de pommes de terre, les Irlandais n'ont plus rien à manger.

— Et, bien entendu, les propriétaires ne font rien pour les aider, grimaça l'électronicien.

L'Australiane s'étonna; son ami semblait mieux informé qu'elle ne le croyait. La majorité des propriétaires, en effet, n'aimaient pas les Irlandais et profitaient de la situation en les forçant à émigrer en Amérique:

— Quelques-uns, tout de même, tentent d'aider les paysans qui vivent sur leurs terres. C'est une des choses que nous avons apprises, même si cette zone d'observation n'a été établie que récemment.

— Pourquoi avoir attendu si longtemps?

— Nous disposons d'un nombre limité d'observateurs. Alors quand le service a été créé, on a fait des recherches préliminaires en 1975 et établi une liste de priorités. Ce qui se passe ici n'a eu, somme toute, qu'un impact historique mineur. Et puis il y a le facteur risque. La famine a tellement affaibli la population que le typhus, entre autres, fait maintenant des ravages.

— Vous ne pouvez pas vacciner les observateurs?

— Nous aurions besoin d'un échantillon du virus ou de la bactérie en cause pour élaborer un vaccin. La loi nous interdit d'en ramener un à Australia. Nous pouvons seulement fournir à nos observateurs les meilleurs antibiotiques dont nous disposons. Et la famine crée un autre problème. Nos observateurs doivent demeurer dans l'anonymat et occuper une position qui limite le plus possible la tentation d'influencer le cours des événements. Mais ici peu de gens

« anonymes » ont assez d'argent pour se nourrir. Or, nous ne pouvons demander à nos observateurs de se laisser mourir de faim.

— Quelle identité a donc adopté Kiléon?

— Celle d'un cordonnier qui a émigré du nord pour oublier le souvenir de sa femme morte du typhus.

* * *

Les deux voyageurs du temps étaient arrivés au village où habitait Kiléon. Ce qui frappa d'abord Marc Greg fut l'odeur — la puanteur, plutôt, qui s'expliquait par l'absence d'égouts et de mesures d'hygiène. Il s'étonna ensuite de ne pas voir d'enfants dans les rues, mais réalisa presque aussitôt qu'ils n'avaient probablement plus la force ni le goût de jouer dehors.

Avisant une femme qui raccommodait assise devant l'entrée de sa maison, Yana s'approcha d'elle:

— Excusez-moi, lui dit-elle en gaélique — la langue parlée par les paysans irlandais — je cherche mon cousin, Patrick O'Donnell.

— Je suis désolée pour vous, mais il est parti.

— Parti? s'étonna l'Australiane. Où cela?

— À Dublin, pardi! Lui et sa femme ont décidé de s'embarquer pour le Canada. La pauvre a terriblement souffert de la fièvre. Tout le monde pensait que c'était la fin pour elle, mais elle s'en est remise. Et alors ils ont décidé d'émigrer.

La temponaute était sidérée par ce qu'elle venait d'apprendre, mais n'en laissa rien paraître:

— Quand sont-ils partis? demanda-t-elle.

— Je ne sais pas exactement. Mais le père O'Leary pourra sûrement vous le dire. Lui et Patrick O'Donnell passaient beaucoup de temps ensemble.

— Merci beaucoup.

Yana et Marc s'éloignèrent. L'Australiane entraîna son ami à l'écart. À voix basse, elle lui résuma ce qu'elle venait d'apprendre:

— La situation est grave, conclut-elle. Kiléon a enfreint le Code de l'exploration temporelle. Il a épousé une femme de 1847 et entrepris un tel voyage sans autorisation. Et je parierais qu'il a utilisé ses antibiotiques pour soigner sa femme.

— Tu vas partir à sa recherche, alors?

— Je n'ai pas d'autre choix. Je suis désolée de te faire faux bond pour notre excursion sur Mars.

Son compagnon balaya ses excuses d'un geste de la main, montrant que c'était sans importance. L'Australiane lui adressa un sourire de reconnaissance avant de reprendre:

— Nous avons encore beaucoup de temps devant nous avant le retour de Méluk. Profitons-en pour aller voir ce père O'Leary qu'a mentionné la vieille femme.

Ils s'en allèrent frapper à la porte du presbytère, à côté de la modeste église du village. Un homme grisonnant, vêtu d'une longue soutane noire, vint leur ouvrir:

— Père O'Leary? s'enquit Yana.

— Oui. Que puis-je pour vous?

— Je suis une cousine de Patrick O'Donnell. Je pensais le trouver ici, mais on m'a dit qu'il avait décidé d'émigrer. On m'a dit aussi que vous pourriez peut-être m'en apprendre davantage.

Le prêtre hocha la tête, les invita à entrer. Tous trois s'installèrent dans une petite pièce qui servait à la fois de salon, de bureau et de salle à manger. L'homme s'adressa à Marc Greg:

— Je n'ai rien à vous offrir, j'en ai bien peur, si ce n'est un peu d'eau.

L'électronicien le regarda sans comprendre. La temponaute expliqua:

— Mon mari est sourd-muet, mon père... Je vous remercie de votre offre, mais nous n'avons pas soif.

— Très bien. Alors que désirez-vous savoir?

— Quand Patrick et sa femme sont-ils partis?

— Il y a une quinzaine de jours. Leur bateau, le *Nancy,* devait faire voile il y a dix jours.

— Pourquoi ont-ils décidé d'émigrer?

— Les Irlandais n'aiment guère se promener pieds nus, mais qui peut se payer de nouvelles chaussures maintenant? Les gens ne peuvent même plus payer pour une réparation. Patrick avait presque épuisé le peu d'argent que lui avait légué son père. Après la maladie de sa femme, il a finalement décidé qu'émigrer était la meilleure solution. Lui et sa femme comptent s'établir à Montréal ou près de là. Ils espèrent avoir des enfants.

Des enfants, songea Yana. *Y a-t-il encore une règle du Code de l'exploration temporelle qu'il n'a pas enfreinte?*

* * *

L'Australiane et son compagnon firent le tour du village avant de regagner le boisé où le temposcaphe de Méluk devait refaire surface. En attendant la tombée de la nuit, ils s'assirent, le dos appuyé à un tronc d'arbre.

Ils n'avaient pas osé manger devant ces pauvres gens les provisions qu'ils avaient apportées. Pourtant, maintenant qu'ils étaient à l'abri des regards indiscrets, et malgré la faim qui les tenaillait, ils mangeaient à peine:

— Et maintenant? finit par demander Marc Greg.

— Nous allons tenter de retrouver Kiléon par tous les moyens possibles. Ça ne sera pas facile. Tu sais que nous devons toujours respecter le déroulement des événements. Impossible donc de rapatrier Kiléon avant qu'il ne se soit marié.

— Parce qu'il fallait d'abord qu'il se marie et qu'il entreprenne d'émigrer pour que nous apprenions ce qu'il a fait?

— Exactement. Dieu seul sait quelles seront les conséquences de toute cette histoire.

— Un seul homme ne peut sûrement pas avoir un si grand impact sur l'histoire.

— Un seul homme, mais qui pourrait engendrer toute une descendance qui normalement ne devrait pas exister. Peut-être tous ses descendants seront-ils des gens ordinaires dont l'influence sur l'histoire sera nulle. Mais suppose que l'un d'eux devienne un chef d'état ou découvre la pénicilline cinquante ans avant Fleming. Que se passerait-il alors?

— Je vois. Alors tu vas revenir ici? s'enquit Marc.

— Après certains préparatifs.

— J'aimerais bien t'accompagner si c'est possible.

D'abord surprise, la jeune femme tenta ensuite de l'en dissuader. Elle souleva certaines objections: il y avait le risque de contagion, et puis il faudrait plusieurs jours ou même peut-être des semaines pour retrouver Kiléon. Mais Marc Greg ne se laissa pas influencer, répliquant qu'ils emporteraient des antibiotiques et qu'il pourrait abandonner en cours de route si nécessaire puisqu'il y aurait sûrement des rendez-vous de contrôle.

L'Australiane finit par accepter d'en discuter avec son supérieur, mais sans rien promettre. Elle s'interrogeait; l'insistance de son ami la laissait perplexe. Peu de gens attachaient autant d'importance à leurs racines et Marc n'avait jamais semblé beaucoup s'y intéresser auparavant. En y réfléchissant, Yana se rendit compte pour la première fois d'une chose plutôt bizarre: Marc ne lui avait même jamais parlé de ses parents ni de ses grands-parents.

3

Pour retrouver Kiléon

Comme il le faisait chaque matin depuis bientôt dix ans, Promiak entra dans les locaux du service de l'emploi deux minutes avant le début de sa période de travail. Il s'assit devant son terminal d'ordinateur et, sans un regard ou une hésitation, actionna l'interrupteur de mise en circuit.

Il ne fallut à la machine que quelques secondes pour effectuer les vérifications d'usage et charger le programme approprié. L'écran s'éclaira; un message s'y afficha: « BONJOUR, PROMIAK. IL Y A DEUX MESSAGES POUR VOUS CE MATIN. »

Les doigts du technicien s'activèrent sur son clavier. Aussitôt une autre suite de caractères apparut sur l'écran. Le premier message émanait du service de l'approvisionnement de la colonie martienne. En effectuant la mise à jour du fichier des géologues en poste, quelqu'un avait découvert une omission sur la liste des affectations reçue le mois précédent. Suivaient le nom et le numéro d'identification du géologue non inscrit.

Promiak pensa aussitôt à une erreur humaine: quelqu'un avait effacé le dossier de l'homme en question ou avait omis de le mettre à jour. Il tapa le numéro d'identification du géologue. Le contenu de l'écran s'effaça, bientôt remplacé par une suite de renseignements: le dossier demandé.

Le technicien posa une nouvelle question à la machine: « AFFECTATION / LIEU ET DATE DE MISE À JOUR? » La réponse ne tarda pas: « COLONIE MARTIENNE / 20.04 ».

Deux mois que l'information se trouvait dans la mémoire de l'ordinateur. Le dossier du géologue ne présentait aucune anomalie. Pourquoi son nom ne figurait-il pas sur la liste des affectations?

Perplexe, Promiak décida qu'il devait en parler à la directrice du service des archives dont le système informatique assumait la gestion de tous les dossiers personnels et professionnels d'Australia. Après tout, l'information n'avait pas pu disparaître et reparaître par magie!

* * *

Svor avait consenti à recevoir Marc Greg par considération pour Yana — et son père, un ami de longue date. Il était toutefois bien décidé à lui refuser l'autorisation d'accompagner la jeune femme. Sa présence, totalement inutile, ne ferait qu'augmenter les risques.

L'électronicien lui avoua d'abord avoir discuté de la situation avec Yana. Tous les vaisseaux transportant des émigrants au Canada devaient, en raison du risque d'épidémie, faire halte à la Grosse Île, sur le Saint-Laurent, à une cinquantaine de kilomètres au nord-est de Québec. Là, les Irlandais étaient mis en quarantaine parce que beaucoup souffraient du typhus. Faute d'espace, cependant, les passagers jugés sains étaient transportés par navire à vapeur jusqu'à Québec ou Montréal.

Étant donné le fort pourcentage d'émigrants mis en quarantaine et le fait que Kiléon, déjà plus à risque parce que venant d'un milieu différent, avait dû épuiser sa réserve d'antibiotiques pour soigner sa femme, il était assez probable qu'on puisse le trouver sur la Grosse Île.

Mais Yana ne pouvait simplement émerger sur l'île et y attendre l'arrivée de Kiléon parce que celui-ci avait pu changer d'idée une fois à Dublin ou être retenu par un quelconque imprévu. Il avait peut-être même succombé à la maladie avant d'embarquer. Et puis la Grosse Île était gardée et la présence d'une femme inconnue de tous et ne souffrant visiblement ni de la faim ni du typhus ferait naître des soupçons.

Marc en avait conclu que Yana devrait effectuer la traversée de l'Irlande à la Grosse Île. Or, à cette époque, une femme voyageant seule pouvait s'attirer des ennuis. Sans compter que Yana pourrait difficilement expliquer comment elle avait accumulé assez d'argent pour se payer une cabine.

Et c'était là que lui, Marc, intervenait. Il connaissait la navigation à voile, ce dont aucun autre Australian ne pouvait se vanter. Il pourrait se faire passer pour un marin canadien retenu en Irlande un certain temps parce qu'il se serait brisé la jambe et que son capitaine aurait refusé de le ramener.

Cela expliquerait pourquoi il parlait l'anglais avec un accent et ne comprenait pas le gaélique. Yana deviendrait une Irlandaise que Marc aurait épousée et voudrait ramener au Canada. Personne ne s'étonnerait qu'ils louent une petite cabine au lieu de voyager dans la cale avec les émigrants.

Svor avait hésité. Au bout du compte, cependant, il avait dû reconnaître qu'aucun de ses temponautes ne ferait un compagnon de voyage aussi «crédible» que l'électronicien.

Marc Greg, Yana, son jeune frère Yarik, et le directeur du service d'exploration temporelle se trouvaient maintenant réunis dans une salle de la tempostation. Il avait été décidé qu'un temponaute s'installerait à Montréal au cas où Kiléon se rendrait à destination. Yarik avait été choisi parce qu'il avait déjà visité le Montréal de 1837 et assurait la liaison avec un observateur se trouvant à Québec en 1847. Svor leur faisait part des derniers détails de la mission:

— Méluk assurera la liaison avec vous, dit-il en sortant quatre feuillets d'une chemise posée sur le bureau devant lui.

Il en tendit deux à Yana. Le premier représentait une carte d'Irlande et le second, une liste de dates, d'heures et de lieux. La jeune femme plaça la carte sur la table entre elle et Marc Greg, tandis que Svor remettait les deux autres feuillets à Yarik avant de poursuivre:

— Vous émergerez à l'endroit marqué d'une croix rouge, dans la région sauvage et peu habitée de Wicklow. C'est à environ une journée de marche de Dublin. Nous avons établi une série de rendez-vous de contrôle, autant en Irlande qu'à la Grosse Île. Yana, vous connaissez la procédure à suivre en pareil cas.

La jeune femme acquiesça. L'autre reprit:

— La première chose à faire, c'est de vous assurer que Kiléon a bel et bien embarqué. S'il ne l'a pas fait, soyez au premier rendez-vous de contrôle et nous aviserons.

Svor se tourna ensuite vers Yarik, entreprit de lui expliquer plus en détail ce qu'il attendait de lui. Yana en profita pour prendre connaissance de la liste des rendez-vous prévus. Marc, pendant ce temps, examinait avec attention la carte fournie par le directeur.

Jetant un coup d'œil dans sa direction, la temponaute remarqua son air absorbé. Son regard suivit celui de l'électronicien qui, du doigt, parcourait la liste des villages inscrits sur la carte. Au bout d'un moment, son doigt suspendit sa recherche, s'arrêta au nom d'un village du comté de Sligo.

Quel intérêt ce village pouvait-il bien avoir pour Marc? De plus en plus intriguée par le comportement de son ami, la jeune femme commençait à se demander si elle avait bien fait d'intercéder auprès de Svor pour qu'il puisse l'acompagner. La mission qui l'attendait était déjà suffisamment compliquée sans qu'il lui faille en plus s'inquiéter de ce que pourrait faire son compagnon.

Allons, se raisonna-t-elle, *Marc est ton meilleur ami; fais-lui confiance...* Elle jeta un autre coup d'œil de côté à l'électronicien toujours absorbé dans ses pensées. *Mais garde les yeux ouverts.*

4

Mauvaise rencontre

Eh bien, se dit Yana, *nous y voilà.* Il faisait nuit. La jeune femme et l'électronicien se tenaient sur la rive d'un petit lac. Le temposcaphe qui les avait ramenés en Irlande venait de disparaître.

L'Australiane hocha la tête comme pour mettre fin à ses réflexions, puis ouvrit le baluchon qu'elle portait. Elle en tira un objet qui ressemblait en tous points à une montre de gousset, mais servait aussi de boussole et de traceur. Yana consulta l'instrument, s'orienta:

— Par là, indiqua-t-elle ensuite avant de remettre l'objet dans son baluchon.

Marc Greg passa devant et ils s'enfoncèrent dans les boisés. Ils avançaient lentement, n'ayant pour toute lumière que le clair de lune. La jeune femme trébucha contre une racine, déchira le bord de sa jupe. Mais elle en fit peu de cas, se préoccupant davantage des insectes qui pullulaient en ce début d'été.

Il leur fallut plus de deux heures pour arriver enfin à un chemin (guère plus qu'un sentier, en fait). Ils s'accordèrent quelques minutes de repos. La temponaute sortit une nouvelle fois sa montre, s'absorba un moment dans ses calculs. Elle sourit ensuite, visiblement satisfaite:

— Nous sommes dans les temps.

Ils avaient repris leur route et suivaient le chemin poussiéreux, lorsque Marc Greg, qui allait en tête, s'arrêta brusquement:

— Qu'est-ce que...? commença Yana.

Son compagnon l'interrompit du geste, lui faisant signe de garder le silence. Du menton, il lui désigna une masse sombre à quelque distance d'eux, sur le bord du chemin. La jeune femme plissa les yeux et découvrit à son tour ce que l'électronicien avait vu le premier: un groupe de gens dormant couchés à même le sol:

— Il vaut mieux ne pas les réveiller, chuchota Marc à l'oreille de la temponaute. Nous perdrions trop de temps à répondre à leurs questions.

Yana acquiesça d'un signe de tête:

— Mais nous ferons davantage de bruit en passant à travers le bois que sur la route, chuchota-t-elle.

Ils repartirent, longeant le côté opposé du chemin et s'efforçant de faire le moins de bruit possible. Alors qu'ils passaient à la hauteur du groupe endormi, Marc Greg les détailla. Visiblement il s'agissait de victimes de la famine. Se rendaient-ils à Dublin pour émigrer ou erraient-ils à travers le pays parce qu'on les avait chassés de leurs demeures?

Marc en savait long sur la situation en Irlande. Mais les quelques heures passées ici lui en avaient appris davantage que tout ce qu'il avait lu sur le sujet au fil des années.

Le rêve qu'il avait toujours cru hors d'atteinte était devenu réalité. Il se sentait partagé entre l'horreur, face à tout ce qu'il découvrait ici, et l'exaltation à la pensée de tout ce qui pourrait encore se réaliser.

* * *

Yarik appuya sur une touche. Le texte affiché sur son écran-vidéo se déplaça vers le haut et un message apparut à sa suite: « AUCUN AUTRE RENSEIGNEMENT DISPONIBLE. » Le temponaute parcourut les dernières lignes du texte, puis mit fin à la consultation.

Fixant l'écran désormais vide, Yarik soupira. L'ordinateur ne contenait que très peu d'informations sur la région de Montréal en l'an 1847. Aucun observateur ne s'y trouvait, bien que l'année 1845 ait été explorée. Tout au moins l'Australian aurait-il une bonne idée de la géographie de la ville et pourrait-il compter sur l'aide d'Espar à Québec.

Ça ne sera pas facile, mais nous le retrouverons et il devra répondre de ses actes. Lui-même avait appris jeune — huit ans — l'importance du respect des règlements. En visite chez sa tante sur la colonie martienne, il avait décidé d'aller se promener à l'extérieur sans être accompagné par un adulte; ce qui était strictement interdit. Il s'était trompé en actionnant les commandes du sas et avait failli décompresser tout un bâtiment. Son père l'avait sévèrement puni, et Yarik avait retenu la leçon.

* * *

Le soleil pointait à l'horizon. Yana proposa qu'ils prennent quelques minutes de repos. Marc acquiesça. Ils s'installèrent sous les arbres, un peu à l'écart du chemin. Pendant que la jeune femme sortait des provisions du baluchon de l'électronicien, ce dernier ne put s'empêcher de demander:

— Comment ont-ils pu en arriver là? Comment les paysans et les propriétaires terriens en sont-ils venus à se haïr à ce point?

— C'est précisément ce que nos observateurs tentent de découvrir, lui répondit la temponaute.

Elle lui tendit l'équivalent australian d'un morceau de pain irlandais du XIXe siècle, puis reprit:

— Certains affirment que nous dépensons trop d'efforts pour le programme d'exploration temporelle. Ils voudraient envoyer une équipe en 1990, par exemple, et copier tout le matériel historique existant à cette époque. Une fois ce projet d'envergure réalisé, nous pourrions, selon eux, mettre fin au programme. Mais je ne suis pas d'accord.

Elle avala une bouchée de pain avant de poursuivre:

— Parce que, vois-tu, nous ne faisons pas tout cela pour le seul plaisir d'en apprendre davantage sur le passé. Tous ces documents que nous pourrions copier nous permettraient de connaître tous les faits et les dates. Mais ils ne nous permettraient pas de comprendre le plus important: le pourquoi des événements.

— Comprendre le pourquoi des erreurs du passé pour éviter de les répéter dans l'avenir?

— C'est ça. Et il n'y a que l'exploration temporelle pour nous permettre de vraiment comprendre l'histoire. Nos observateurs sont des experts de l'analyse du contexte social, politique et psychologique d'une époque donnée.

— Je pense que tu as tout à fait raison.

Ils continuèrent à manger en silence. Ils terminaient leur repas, lorsque Marc Greg se raidit, aux aguets:

— Tu entends? demanda-t-il.

Yana hocha la tête. Des jappements, des cris et le bruit de branches écrasées parvenaient jusqu'à eux:

— Ils se rapprochent, remarqua la jeune femme.

Elle et Marc se levèrent, remballèrent les restes de leur repas tout en s'interrogeant:

— Peut-être ferions-nous mieux de ne pas rester ici.

Ils se demandaient encore que faire lorsque du bruit se fit entendre du côté de la route:

— Il semble que ce soit après nous qu'ils en ont, déclara l'électronicien. Allons-nous-en par là.

Il entraîna sa compagne par la main, mais ils ne purent aller loin: quatre hommes étaient apparus et leur coupaient maintenant le chemin. Marc Greg se retourna. Comme il s'y attendait trois autres hommes se tenaient derrière eux. Tous étaient armés et trois d'entre eux tenaient en laisse des chiens de chasse aux allures féroces:

— Je vous conseille de ne pas bouger, dit l'un d'eux.

* * *

Jack dit le Terrible se réjouissait de sa bonne fortune. Lui et ses hommes traquaient depuis plus d'une journée des voleurs qui s'étaient emparés de nourriture dans l'une des réserves de Lord Dansbury. Il croyait bien avoir perdu leur trace durant la nuit, mais au matin les chiens avaient retrouvé la piste et les avait conduits tout droit à ces deux bons à rien.

Jack considéra un instant l'homme et la femme debout devant lui. Ils n'étaient pas de ces loques qui parcouraient les routes, assurément; ils semblaient beaucoup trop bien nourris pour ça. Jack jubila. Peut-être avait-il mis la main au collet d'importants voleurs ou braconniers.

Il se tourna vers l'un de ses hommes:

— Johnny, fouille-les.

L'intéressé donna son fusil à l'un de ses compagnons, puis s'approcha du couple. Il tâta les poches de leurs vêtements, prit ensuite leurs baluchons qu'il apporta à son chef:

— Fais voir ce qu'ils ont là-dedans, ordonna Jack.

L'autre obéit. Ouvrant le baluchon de la femme, il en sortit quelques vêtements, une montre, une carte et un flacon en verre. Jack prit ce dernier des mains de son acolyte, le déboucha, puis en renifla le contenu:

— Qu'est-ce que c'est que ça?

— Un remède pour la fièvre, répondit la femme.

— Vous n'avez pas l'air d'en avoir besoin, déclara Jack après avoir détaillé les prisonniers. De toute façon, vous devrez maintenant vous en passer.

Il jeta le flacon par terre et le brisa d'un coup de talon. Il prit ensuite la montre de la femme, l'examina, puis la fourra dans sa poche. S'emparant alors de l'autre baluchon que tenait toujours Johnny, il entreprit de le vider de son contenu. Encore des vêtements, des provisions — la preuve de leur culpabilité — et...

Jack lança le baluchon vide au loin, puis soupesa la bourse qu'il venait d'y trouver: elle contenait bien quatre-vingts shillings. Il s'adressa aux prisonniers de son ton le plus dur:

— Alors, c'est comme ça que vous survivez. Vous pillez les réserves de Lord Dansbury et vous vendez ce que vous avez volé. À en juger par votre apparence et par tout cet argent, Lord Dansbury n'a pas dû être votre seule victime.

— Vous vous trompez, répondit l'homme. Je suis marin, je viens du Canada et j'ai gagné cet argent honnêtement.

Il parlait bien avec un drôle d'accent, mais Jack n'était pas convaincu. Que viendrait faire un marin étranger ici, si loin de la mer, et avec une Irlandaise de surcroît? Il soupesa une nouvelle fois la bourse de l'inconnu avant de la glisser dans sa poche:

— Andy, ordonna-t-il ensuite, attache-les.

5

Prisonniers

Ils avaient marché toute la journée. Yana, les mains attachées derrière le dos, ne sentait plus ses bras. Elle avait faim, elle avait soif — soif, surtout. Ceux qui les avaient faits prisonniers, elle et Marc, avaient refusé de leur donner quoi que ce soit à boire ou à manger.

La temponaute se souvenait de ce qu'elle avait lu au sujet d'hommes tels que ceux-là. Des voyous employés par certains grands propriétaires pour garder leurs terres et expulser les paysans incapables de payer leurs taxes et loyers.

La route tourna brusquement sur la droite et, derrière un bosquet d'arbres, l'Australiane découvrit ce qui ne pouvait être que leur destination: une immense maison de pierre entourée de dépendances. Leurs gardiens les entraînèrent dans la cour du domaine, les poussèrent jusqu'à une porte de bois à l'arrière de la maison:

— Mais laissez-nous au moins exposer notre cas à Lord Dansbury, plaida la jeune femme pendant qu'un des hommes introduisait une clé dans la serrure du battant.

Les autres rirent. Leur chef répondit:

— Vous ne croyez tout de même pas qu'il est ici maintenant? Il ne vient que pour la saison de la chasse.

— Alors, laissez-nous voir son intendant.

— Il a d'autres chats à fouetter. Demain, nous vous conduirons chez le magistrat. Lui décidera de votre sort.

Deux des hommes poussèrent Marc dans la pièce sombre sur laquelle donnait la porte maintenant ouverte. Yana entendit un bruit sourd de chute alors qu'elle était à son tour poussée sans ménagement. *Un escalier,* pensa-t-elle. Ne voyant rien et ne pouvant se retenir de ses mains, elle trébucha elle aussi et vint s'écraser sur la forme inerte de son compagnon au bas des marches.

* * *

La première chose dont Marc Greg prit conscience fut la douleur: une douleur lancinante sur le côté gauche du crâne, qui irradiait jusque dans sa nuque. La seconde, la pression d'une surface froide sur sa joue. Instinctivement, il voulut toucher la région douloureuse et réalisa alors qu'il avait les mains liées derrière le dos.

Aussitôt, les récents événements lui revinrent en mémoire. *Yana,* pensa-t-il, *que lui est-il ar-*

rivé? Il ouvrit les yeux, entreprit de se retourner sur le dos:

— Doucement, attends une seconde, conseilla alors une voix familière. Tu t'es cogné la tête plutôt durement.

L'électronicien entendit un bruit de frottement:

— Voilà. Tourne-toi lentement.

Marc obéit et se retrouva allongé sur le dos, la tête posée sur les cuisses de la jeune femme.

Ses yeux s'étaient ajustés à l'obscurité ambiante et il pouvait maintenant distinguer vaguement les traits de la temponaute penchée sur lui:

— Tu n'as rien? s'enquit-il.

— Non, rassure-toi... N'essaye pas de parler; repose-toi un peu pour reprendre des forces.

Marc ferma les yeux en soupirant. Mais trop de pensées, plus ou moins confuses, se bousculaient dans sa tête pour qu'il puisse se reposer.

Pour la première fois depuis qu'il connaissait Yana, Marc lui avait menti par omission. Non seulement avait-il séjourné l'Irlande, il avait aussi déjà visité la Grosse Île — transformée à son époque en parc historique. Toutefois, ces deux visites n'étaient rien comparées à la chance inouïe qui s'était offerte à lui de *vivre* l'émigration de 1847. D'en apprendre davantage sur ce qui avait le plus marqué son enfance.

L'aventure — il ne l'avait pas envisagée autrement jusqu'à ce moment — lui avait paru excitante et sans danger. Il y avait bien la menace du typhus, mais pourquoi s'en inquiéter puisqu'ils emportaient avec eux les meilleurs antibiotiques existants?

Mais voilà que ces antibiotiques avaient été détruits. Et ils se retrouvaient maintenant passibles — Marc ne le savait que trop bien — de mort ou de déportation.

Comment avait-il pu se laisser à ce point aveugler par une obsession qu'il croyait avoir depuis longtemps surmontée? Comment?

Il se posait encore la question lorsque la voix de Yana le ramena à des préoccupations plus urgentes:

— Crois-tu que nous puissions nous évader d'ici?

L'électronicien mit un moment à réagir:

— Il faudrait d'abord que nous réussissions à nous détacher... Aide-moi à me relever.

— Tu es sûr? Tu as été durement secoué.

— Ça ira. Ne t'en fais pas pour moi. Allez aide-moi.

La temponaute obtempéra, soutenant son ami du mieux qu'elle le pouvait. Tous deux furent bientôt debout. Ses yeux s'étant définitivement ajustés à la pénombre où tout paraissait gris, Marc, bien qu'un peu chancelant, pivota lentement sur lui-même pour examiner leur «cachot».

La pièce aux murs de pierre mesurait environ quatre mètres sur quatre et ne possédait qu'un seul soupirail, minuscule, à deux mètres environ du sol. Marc Greg distingua l'escalier qui menait à la seule issue possible: la porte. L'endroit était vide mis à part quelques débris de bois et un tas de foin dans un coin.

L'Australiane s'était approchée de ce dernier et le fouillait maintenant du pied. Soudain, le bout de son soulier rencontra un objet dur qui rendit un son plein. Balayant le foin de côté, Yana mit au jour un cruchon en grès:

— Marc, viens voir!

Celui-ci s'approcha. La jeune femme tapa le cruchon du bout de sa chaussure:

— Nous pourrions le casser et utiliser un des morceaux pour couper nos liens.

— Attends une minute.

Marc tourna le dos au tas de foin, s'accroupit sur ses talons, empoigna le cruchon par son goulot et le souleva de quelques centimètres avant de le reposer par terre:

— Il est presque plein. Il faudrait que nous cassions le goulot sans briser complètement le cruchon.

— Pourquoi?

— Parce que s'il contient ce que je pense, cela pourrait nous permettre de sortir d'ici.

Sans en dire plus, Marc se pencha sur les quelques morceaux de bois jetés près du tas de foin. En les examinant de plus près, il se rappela un objet qu'il avait vu dans certains musées: un rouet. Probablement brisé, ce rouet avait été mis en morceaux, puis jeté dans cette cave.

Manœuvrant de la même façon que pour le cruchon, Marc Greg parvint à ramasser un bâton d'une cinquantaine de centimètres. *Le bois est encore sec,* jubila-t-il intérieurement, *alors nous avons une chance.* Il leva les yeux vers son amie:

— Mets le cruchon contre le mur et cale-le avec du foin.

Yana obéit, ne se servant que de ses pieds pour arriver à ses fins. Son compagnon s'approcha, s'agenouilla de côté par rapport au cruchon. Comprenant ce qu'il voulait faire, la temponaute étendit la jambe pour maintenir le cruchon en place avec son pied:

— Recule un peu, recommanda-t-elle à l'électronicien.

Marc obéit, puis tenta une première fois de briser le goulot d'un coup de bâton, mais il manqua la cible et frappa la jambe de son amie. Celle-ci ne protesta pas, se contenta de le guider pour l'essai suivant. À la quatrième tentative, l'électronicien entendit un bruit de cassure:

— Ça y est. Tu as réussi!

La jeune femme s'accroupit, tâtonna un moment et s'empara d'une des moitiés du goulot brisé. Elle et son compagnon se relevèrent, se mirent dos à dos.

Yana entreprit de trancher les liens de Marc en utilisant le morceau de poterie à la manière d'un couteau. Ne pouvant se guider que par le toucher, l'Australiane se sentait malhabile. Au contact d'un liquide tiède sur ses doigts, elle comprit qu'elle avait entaillé le poignet de Marc, mais celui-ci ne dit rien. Yana ferma les yeux, concentra toute son attention sur ce que faisaient ses mains:

— Attends, lui demanda son ami après plusieurs minutes.

Il fit jouer ses poignets à l'intérieur de ses liens, tira de toutes ses forces et parvint finalement à rompre les quelques fibres de chanvre que Yana n'avait pas encore coupées. Sitôt débarrassé de la corde entourant ses poignets, il prit le morceau de goulot des mains de la temponaute et entreprit de la libérer à son tour:

— Et maintenant? s'enquit-elle lorsqu'il eut terminé.

Mais au lieu de lui répondre, l'électronicien se pencha, trempa son doigt dans le liquide contenu dans le cruchon, y goûta du bout de la langue, puis sourit:

— Qu'est-ce que c'est? demanda la jeune femme.

— Du whisky, comme je le pensais. Un des serviteurs doit se réfugier ici pour boire en cachette.

— Ça pourrait nous être utile, si nous avions un moyen de faire du feu.

— Nous en avons un, déclara Marc Greg.

Accroupi, il fouilla dans les morceaux pêle-mêle du vieux rouet, ramassa une planche rectangulaire étroite et un des trois bâtons — les pieds du rouet — qui s'y emboîtaient. Se relevant, il s'approcha de l'escalier et amincit un peu le bout du bâton en le frottant sur une des marches de pierre. Il fit ensuite jouer le bâton dans un des trous de la planche: il tournait librement mais sans être lâche.

Satisfait, l'électronicien prit une poignée de foin, puis s'agenouilla près de l'escalier. Il entreprit alors de faire pivoter le bâton dans son trou à grande vitesse en frottant les mains d'avant en arrière. Au bout de plusieurs minutes, la friction produisit une poussière incandescente. Marc attisa alors son feu naissant en soufflant dessus, puis l'alimenta avec quelques brindilles de foin.

— Où as-tu appris à faire ça? demanda Yana, qui l'avait regardé faire avec curiosité.

— Nous avions un cours de survie, ça faisait partie de la formation des astronautes, répondit Marc avant de s'emparer d'une autre poignée de foin pour alimenter le feu.

Yana, qui avait compris ce qu'il avait en tête, prit le cruchon et monta ensuite jusqu'à la porte. Celle-ci, l'Australiane s'en souvenait, n'était pas très épaisse et ouvrait vers l'intérieur. La temponaute déchira trois bandes de tissu de son jupon et les imbiba d'alcool pour ensuite en placer deux tout autour des grosses pentures de fer. Ceci fait, elle asperga les deux chiffons et la porte avec le whisky restant, puis se tourna vers son compagnon et lui tendit le troisième morceau de jupon:

— Tout est prêt. Espérons seulement que personne ne remarquera l'odeur de la fumée.

Marc enroula l'étoffe au bout d'un bâton, la tint ensuite au-dessus du feu où elle s'enflamma rapidement. L'électronicien gravit alors les marches de pierre. Il mit le feu aux deux autres chiffons, puis jeta le bâton et rejoignit Yana près du soupirail. Le tissu brûla rapidement, le bois s'embrasa à son tour et la fumée commença à remplir la pièce:

— Allons-y, proposa Marc lorsqu'il jugea le moment venu.

Ils aspirèrent un bon coup d'air venant du dehors; puis se masquèrent le bas du visage, Yana avec son bonnet et Marc avec son mouchoir. Prenant garde de ne pas mettre le feu à leurs vêtements, ils appuyèrent de l'épaule contre le panneau de bois. Il ne se passa d'abord rien.

Finalement, ils entendirent un craquement et la porte, libérée de ses pentures, s'ouvrit de quelques centimètres. Une bouffée d'air frais repoussa la fumée à l'intérieur. L'électronicien étouffa les flammes qui rongeaient le bois, puis jeta un coup d'œil à l'extérieur. Il faisait toujours nuit et il n'y avait personne en vue. Tous deux se remirent à pousser de toutes leurs forces.

Nouveau craquement et le panneau recula davantage. L'ouverture était maintenant assez large pour qu'ils puissent s'y glisser. Marc s'assura de nouveau que la voie était dégagée, puis lui et sa compagne se faufilèrent hors de la cave. Ils longèrent le mur jusqu'à l'angle de la maison, traversèrent ensuite la cour déserte et se réfugièrent derrière l'écurie:

— Et si nous empruntions des chevaux? proposa Marc Greg à voix basse.

— Trop risqué. Nous sommes déjà chanceux de n'avoir alerté personne. Le bruit pourrait attirer l'attention. Et puis je ne sais pas monter.

— Alors partons par là. J'ai remarqué une petite rivière près d'ici où nous pourrons faire en sorte que les chiens ne puissent retrouver notre piste.

Sa compagne acquiesça et ils s'éloignèrent furtivement. Il leur fallut près d'une demi-heure pour arriver à la rivière. Après avoir pataugé à contre-courant sur une certaine distance, ils sortirent de l'eau sur la rive opposée. Ils repartirent aussitôt, avançant aussi vite que le leur permettaient l'obscurité et le terrain accidenté.

Le soleil s'était levé depuis longtemps déjà lorsqu'ils s'accordèrent enfin quelques minutes de repos à l'abri d'un boisé touffu. Marc s'appuya au tronc d'un arbre, reprit son souffle avant de remarquer:

— Hier, nous avons marché toute la journée vers le nord-ouest. Et depuis que nous nous sommes évadés, nous allons vers l'est.

— Ce qui veut dire que nous n'avons pas assez de temps pour revenir à notre point de départ avant notre rendez-vous de contrôle. Ils vont penser que nous avons embarqué.

— Alors nous sommes coincés ici, sans argent et sans antibiotiques? grimaça l'électronicien.

— Non. Il nous reste une solution: entrer en contact avec Fari, l'autre observatrice qui se trouve dans notre zone d'exploration temporelle. Elle habite près de Cork, dans le sud du pays.

— Ça ne sera pas facile de nous rendre là-bas, sans argent et sans provisions.

— Je sais, mais nous n'avons pas d'autre solution.

6

Du passé au présent

Yarik épousseta ses vêtements du revers de la main. La poussière était une des choses qu'il détestait le plus au XIXe siècle. La poussière et l'odeur répugnante d'excréments et de déchets caractéristique des villes et villages de l'époque.

L'Australian avait émergé au petit jour dans le nord de l'île de Montréal. Il lui avait fallu marcher plusieurs kilomètres pour gagner la partie plus habitée de la ville. Il se trouvait maintenant sur la rue Notre-Dame.

Ses vêtements aussi dépoussiérés qu'ils pouvaient l'être, le temponaute reporta son attention sur ce qui l'entourait. *Curieux,* songea l'Australian, *cette rue m'avait paru plus achalandée la dernière fois.* Balayant cette pensée d'un haussement d'épaules, il partit en direction du port.

Plus il en approchait, plus les rues étaient désertes et plus les odeurs devenaient nauséabondes. Ayant aperçu l'enseigne colorée d'une auberge, Yarik y entra. Mis à part un homme en tablier debout derrière le comptoir, l'endroit était désert. L'homme, probablement le patron de l'établissement, parut surpris de voir l'Australian:

— Je voudrais une chambre, demanda celui-ci en s'approchant. Vous en avez de libres?

— Vous plaisantez ou vous n'êtes pas de la région.

— J'arrive à peine de Bytown[1].

— Alors vous ne savez pas que les gens fuient le quartier du port.

— Pourquoi?

— Parce qu'ils ont peur du typhus, pardi! Des centaines d'immigrants irlandais arrivent ici chaque jour, la plupart malades ou mourants, à ce qu'on dit. Vous n'avez pas remarqué la puanteur? Et ça empire de jour en jour.

* * *

Marc et Yana marchaient depuis des heures avec le soleil pour tout guide. La jeune femme entendit grogner son estomac. Depuis la veille, ils n'avaient rien mangé et avaient dû se contenter de l'eau des ruisseaux qu'ils avaient découverts en route.

Nouveau grognement. L'Australiane ravala sa salive. La pensée d'un savoureux potage de légumes l'obsédait depuis un moment et elle se sentait coupable de cette faiblesse. Comment pouvait-elle se préoccuper à ce point de son

---

[1] Nom d'Ottawa à l'époque.

estomac après un seul jour de jeûne, alors que des millions d'Irlandais souffraient de la famine depuis des mois?

Pense à autre chose, se dit-elle. *Pense à... n'importe quoi, mais à autre chose.* Elle essayait toujours de bannir la nourriture de ses penées, lorsqu'une main se posa sur son bras. Elle sursauta, s'immobilisa:

— Qu'est-ce que...?

— Regarde, répondit Marc en pointant du menton.

Au loin sur la route, Yana aperçut une silhouette — un homme — qui venait dans leur direction. Voyant se préciser les traits tirés et le corps amaigri de l'inconnu au fur et à mesure qu'il se rapprochait, la temponaute eut honte de sa faiblesse. Lorsque l'homme fut à portée de voix, elle l'interpella en gaélique:

— Mon mari et moi sommes perdus. Pouvez-vous nous dire si nous sommes bien sur la route de Cork.

— Aye, vous êtes sur la bonne route.

— Ma cousine travaille pour Lord Wittington. Vous savez où se trouve son domaine?

— Aye, mais vous n'y arriverez pas avant la nuit.

— Alors nous dormirons à la belle étoile.

* * *

L'éclairage de la pièce passa au rouge pendant deux ou trois secondes. Orla, la directrice du service des archives d'Australia, enfonça une touche sur le dessus de son bureau. La porte y faisant face s'ouvrit, laissant le passage à Hur, l'informaticien chef du service:

— Qu'y a-t-il? demanda la directrice tout en levant les yeux vers son visiteur.

Sa voix avait une intonation un peu étrange qu'elle-même n'avait jamais entendue car elle était sourde de naissance. Et malgré tous les progrès de la médecine, rien n'avait pu être fait pour lui permettre d'entendre.

« *Un message du service des statistiques* », lui apprit Hur, utilisant à la fois le langage parlé et le langage par signes.

Il connaissait Orla depuis leur adolescence, l'avait épousée deux ans auparavant et savait très bien qu'elle pouvait lire sur les lèvres, mais préférait converser par signes. Dotée d'un esprit de synthèse hors du commun et d'une capacité de concentration encore accrue par l'isolement relatif dans lequel la plaçait sa surdité, Orla avait pleinement mérité de devenir la plus jeune directrice du service des archives et Hur était fier de sa réussite.

Ramenant ses pensées à la raison de sa venue, Hur vit que sa femme l'observait en souriant. Ses mains s'agitèrent au-dessus de la surface du bureau: « *Vas-tu me dire ce que nous veut le service des statistiques? Ou dois-je maintenant lire dans tes pensées?* »

Hur lui sourit à son tour, puis il lui expliqua le problème. À la demande du service des statistiques, un des techniciens affectés aux archives venait de leur faire parvenir un relevé plus détaillé d'une étude faite la semaine précédente. Le statisticien en charge de l'étude voulait maintenant savoir pourquoi deux dossiers avaient été ajoutés au relevé, et un autre retranché.

Les mains d'Orla s'agitèrent de nouveau: «*As-tu vérifié le numéro de ces trois dossiers?*»

Son mari hocha la tête: «*Les numéros des deux dossiers ajoutés sont exacts, mais je n'ai trouvé aucune mention de celui du dossier manquant. Et j'ai interrogé l'ordinateur; il ne peut fournir aucune explication à ce changement dans les résultats.*»

La directrice du service se mit à faire pivoter sa chaise — gauche, droite; gauche, droite — signe chez elle d'une intense réflexion. Un autre incident lui revenait en mémoire: la liste des géologues de la colonie martienne. Simple coïncidence? Non, elle ne pouvait y croire.

Sentant la pression d'une main sur la sienne, elle leva les yeux vers Hur: «*Tu penses qu'il y a une relation avec cette histoire de la liste des géologues de la colonie martienne, n'est-ce pas?*»

Elle acquiesça: «*Oui. Je veux une vérification de tous les relevés effectués au cours des deux dernières semaines. Si un virus a contaminé le système, je veux le savoir.*»

7

Second souffle

Couchée à même le sol, Yana se sentait trop épuisée pour dormir. Ses pieds, meurtris par les chaussures grossières qu'elle portait, lui faisaient mal et ses jambes élançaient. De plus, son estomac protestait encore contre le manque de nourriture. Les yeux fermés, la jeune femme tentait en vain de faire le vide dans ses pensées, d'ignorer les sensations douloureuses pour trouver enfin le sommeil.

Soudain, la temponaute sentit un contact humide et frais sur sa joue. Une fois, deux fois. Yana ouvrit les yeux, se redressa. Il commençait à pleuvoir et la fréquence des gouttes augmentait rapidement. L'Australiane secoua l'épaule de son compagnon:

— Marc, réveille-toi.

L'électronicien, qui flottait entre l'état de veille et le sommeil, reprit aussitôt ses esprits:

— Qu'est-ce que...?

— Il pleut. Nous ferions mieux de chercher un endroit pour nous mettre à l'abri.

Marc Greg acquiesça, et ils repartirent dans l'obscurité. L'averse fut brève mais forte. Elle laissa Yana et son ami trempés de la tête aux pieds et transforma le chemin qu'ils suivaient en un ruisseau de boue gluante.

Le sol étant détrempé, les deux compagnons poursuivirent leur chemin. Le premier, Marc aperçut une silhouette carrée plus sombre: une chaumière. Ils se dirigèrent vers elle:

— Il vaut mieux que tu reprennes ton personnage du mari muet, remarqua la temponaute. Ce sera plus facile que d'essayer d'expliquer comment un étranger peut se retrouver sans argent.

— Tu as raison.

Ils s'arrêtèrent; Marc Greg frappa à la porte. Le battant s'entrouvrit et un visage d'homme apparut, éclairé par la lueur d'une chandelle de suif:

— Nous avons été surpris par l'averse, expliqua Yana en gaélique, et nous nous demandions si nous pourrions nous reposer au sec chez vous.

— Entrez, les invita l'autre. Notre demeure est modeste, mais vous y êtes les bienvenus.

Modeste n'est pas le mot, se dit l'Australiane en pénétrant dans la maison du paysan. Les murs étaient de mottes de terre, le toit de chaume et le sol de terre battue. Il n'y avait qu'une toute petite fenêtre, et seule la lueur de deux bougies et du feu de tourbe que l'homme venait d'allumer dans un coin éclairait l'unique pièce de l'habitation.

Deux enfants dormaient dans le grand lit occupant un autre coin de la maison. Une femme, en chemise de nuit tout comme l'homme qui leur avait ouvert, se tenait debout près de la table. Visiblement, l'arrivée de Yana et son compagnon les avait réveillés:

— Vous devez être transis, dit la femme en gaélique. Venez donc vous sécher près du feu.

La temponaute entraîna son ami par le bras tout en expliquant à leurs hôtes qu'il était sourd-muet. Le feu dégageait une épaisse fumée, mais Yana se garda bien de toute remarque. Au moins ses vêtements finiraient-ils de sécher:

— Nous pourrions vous prêter des vêtements secs, proposa l'homme.

— Non, ce n'est pas la peine, merci.

— Peut-être aimeriez-vous quelque chose à manger? Il nous reste encore un peu de potage au chou.

À la mention de nourriture, Yana sentit son estomac se contracter. Elle jeta un coup d'œil au mari et à la femme. Leurs vêtements maintes fois trop grands, leurs traits tirés montraient bien qu'eux-mêmes souffraient de la famine. Et pourtant, ils étaient prêts à partager leur peu de nourriture avec deux étrangers.

La temponaute hocha la tête:

— C'est très gentil à vous, mais nous ne désirons rien.

Les yeux lui piquaient et elle avait la gorge nouée, mais elle préféra penser que c'était à cause de la fumée. La femme insista; Yana refusa, gentiment mais fermement.

Voyant que son invitée ne changerait pas d'avis, la femme sortit une vieille couverture pendant que son mari tirait une paillasse de sous le grand lit. L'Australiane les remercia, puis elle et Marc s'installèrent pour la nuit. Leurs hôtes se remirent au lit et soufflèrent leurs bougies.

Allongée dans l'obscurité, trouée seulement par la lueur du feu, Yana ne parvenait toujours pas à dormir. Ce n'était pas la première fois qu'elle était touchée par ce qu'elle découvrait au cours d'un voyage temporel. Cependant, elle avait appris à refouler, à contrôler ses émotions, à éviter qu'elles ne prennent le pas sur sa raison. Ce n'était jamais facile, mais c'était nécessaire.

L'Australiane fronça les sourcils. N'était-ce pas encore plus difficile cette fois-ci? Elle n'était dans cette zone d'exploration que depuis deux jours — trois si on comptait la journée passée au village où habitait Kiléon. Et déjà, il lui fallait faire un effort marqué pour garder ses distances et préserver son objectivité.

La temponaute ne s'étonnait plus maintenant du comportement de Kiléon qui, lui, vivait ici depuis déjà onze mois. *Je vais recommander qu'on réévalue cette zone,* décida la jeune femme. *Le risque psychologique a été sous-estimé. Pour le moins, aucun observateur ne devrait être envoyé ici seul. Et il faudrait un suivi plus serré et des périodes de repos plus longues et plus fréquentes. Nous ne sommes qu'humains, après tout. Jamais à l'abri d'une faiblesse.*

Et Yana sut alors que, quoi qu'il advienne, elle ne témoignerait pas contre Kiléon devant le Conseil de discipline. Elle poussa un soupir et glissa vers le sommeil.

* * *

Occupée à frotter une pièce d'argenterie, Sarah releva la tête et tendit l'oreille. On cognait à la porte des cuisines. Se déplaçant aussi vite que le lui permettaient ses vieux os, elle alla ouvrir. Un homme et une femme qu'elle ne connaissait pas se tenaient là. L'homme, qui s'apprêtait visiblement à frapper de nouveau, laissa retomber son bras et lui sourit.

Quelques années plus tôt, Sarah aurait été choquée par leur apparence: leurs vêtements sales, fripés, déchirés; le visage mal rasé de l'homme. Craignant d'avoir affaire à des bons à rien, elle aurait même refusé de les laisser entrer. Mais plus maintenant.

Maintenant, leur apparence ne lui inspirait que pitié. Ce n'était pas la première fois que des paysans venus demander l'aide de son maître, Lord Wittington, étaient trop intimidés pour aller frapper à la grande porte et se présentaient plutôt à l'entrée des serviteurs:

— Entrez, les invita-t-elle. Vous désirez voir le maître, je suppose.

— Non, madame, répondit la jeune femme. Je voudrais parler à ma cousine, Mary Shannon. Dites-lui, s'il vous plaît, que c'est notre tante Amalia qui m'envoie.

— Très bien. Attendez ici.

L'autre la remercia. Sarah s'en fut vers les cuisines où une jeune femme s'affairait à plumer un poulet:

— Il y a une parente à toi qui désire te voir, Mary. Elle dit venir de la part de ta tante Amalia.

La vieille servante vit la surprise se peindre sur le visage de Mary Shannon. Mais cette dernière se reprit aussitôt. Elle posa l'oiseau sur un bloc à découper, puis s'essuya les mains sur son tablier:

— Où est-elle?

— À l'entrée des serviteurs.

Fari, alias Mary Shannon, se sentait gagnée par l'inquiétude alors qu'elle se hâtait vers l'entrée des serviteurs. Seul un motif grave pouvait expliquer la visite imprévue d'une envoyée d'Australia. Peut-être était-il arrivé malheur à ses parents?

La jeune femme courut presque jusqu'à l'entrée des serviteurs. Dès qu'elle aperçut Yana, elle fut surprise par son aspect et s'étonna de voir que quelqu'un l'accompagnait. Décidément, il se passait quelque chose d'anormal:

— Ya... Anna, se reprit-elle, qu'est-ce qui t'amène ici?

— Il est arrivé quelque chose au cousin Patrick. Il faut que nous parlions, en privé.

— Suivez-moi.

Sans hésiter, elle les entraîna à l'extérieur jusqu'à la grange, qu'elle savait déserte. Ils y entrèrent et Fari referma la porte derrière eux. Aussitôt, Yana lui présenta son compagnon, puis lui raconta brièvement ce qu'ils savaient sur la désertion de Kiléon et ce qui s'était passé depuis leur arrivée.

Fari connaissait peu Kiléon; ils ne s'étaient rencontrés qu'une seule fois, peu après son arrivée à elle. Mais elle savait que la famine faisait beaucoup plus de ravages là où il vivait que sur le domaine de Lord Wittington:

— Je peux vous donner une cinquantaine de shillings et une bonne partie de ma réserve d'antibiotiques. Lord Wittington doit lui aussi payer ses taxes, et la nourriture coûte cher; mais jusqu'à présent, nous avons été épargnés par la maladie.

— Je savais que nous pourrions compter sur toi.

— Il y a une chose, cependant. Mes antibiotiques ne seront bientôt plus efficaces. Tu devais m'en apporter une nouvelle provision la semaine prochaine.

— C'est le défaut de ces antibiotiques, expliqua la temponaute à son compagnon. Ils ont une durée de vie limitée.

La lumière se fit dans la mémoire de Fari. Marc Greg, bien sûr! Un des trois rescapés de la Grande Catastrophe. Pour autant qu'elle s'en souvint, il était officier de la flotte spatiale. Alors pourquoi accompagnait-il Yana? Voyant le regard des deux autres fixé sur elle, elle mit cette question de côté pour en revenir au présent:

— Attendez-moi ici. Je vais chercher tout ça.

Elle revint au bout de quelques minutes, un sac de toile à la main:

— Voilà l'argent, les antibiotiques et de quoi manger pendant un jour ou deux.

Fari vit les yeux de la temponaute s'éclairer et réalisa qu'ils n'avaient rien dû manger depuis qu'ils avaient été faits prisonniers par les hommes de Lord Dansbury.

Ils la remercièrent; elle leur souhaita bonne chance. Connaissant les rumeurs qui circulaient au sujet de Dublin et des navires transportant les émigrés, elle savait qu'ils en auraient besoin.

8

Énigme informatique

Hur posa sur la table le plateau qu'il venait de sortir de la distributrice alimentaire, puis leva les yeux vers sa femme. Sitôt revenue du travail, cette dernière s'était installée devant leur terminal d'ordinateur. Hur hocha la tête, puis termina de mettre la table.

Il s'approcha ensuite d'Orla, toujours absorbée par ce qu'elle faisait, et posa la main sur son épaule. Elle sursauta, puis leva la tête vers son mari. « *Je ne voulais pas te prendre par surprise comme ça, mais le repas est prêt.* » La jeune femme protesta, montrant le terminal de la main. Hur ne la laissa pas en dire davantage. Ses gestes se firent plus appuyés: « *Cela peut attendre. Tu dois manger. Tu sais que tu n'aideras personne en te tuant à la tâche.* »

Orla soupira. À contrecœur, elle tapa une commande, puis éteignit le terminal. Son mari lui sourit. Lui prenant la main, il la fit lever et l'entraîna jusqu'à la table. Il avait choisi son menu préféré et elle l'en remercia du regard.

Ils mangèrent en silence: il est difficile de converser par gestes tout en manipulant couteau et fourchette. Cependant, lorsqu'ils arrivèrent au café — ou plutôt au succédané décaféiné qui en tenait lieu — la jeune femme aborda le sujet qui la préoccupait: «*S'il s'agit bien d'un virus informatique, nous avons affaire à quelque chose de tout à fait nouveau.*»

Hur était d'accord avec elle. Jamais auparavant ils n'avaient rencontré un virus capable de supprimer temporairement des informations, et même, d'en créer de toutes pièces. Non, les quelques virus que lui-même avait dû combattre — fruit d'une erreur ou d'une expérience malencontreuse, jamais d'un acte de sabotage — ne pouvaient qu'effacer les informations en mémoire ou empêcher l'exécution des programmes.

«*Au moins savons-nous que les dégâts sont limités*», fit remarquer Hur à sa femme. La vérification complétée par son équipe au cours de la journée avait révélé qu'une vingtaine de dossiers étaient mystérieusement «apparus», cependant que dix autres semblaient avoir «disparu» sans plus d'explication.

L'expression d'Orla était grave; ses mains s'agitèrent: «*Pour le moment; mais rien ne dit que le problème ne prendra pas plus d'ampleur. S'il s'agit bien d'un virus, il n'est pas exclu qu'il contamine tout le système informatique d'Australia.*»

«*Et s'il ne s'agit pas d'un virus?*»

«*Alors qui peut prévoir l'ampleur du danger*

qui nous guette? Je ne veux prendre aucun risque. »

« *Conclusion: tu vas ordonner une vérification complète du logiciel ainsi que du matériel. Mes techniciens vont s'y mettre dès demain matin, mais ça prendra des jours.* »

« *Je sais. Et ce n'est pas tout. Une équipe de recherchistes devra examiner chaque dossier suspect, vérifier son authenticité et établir, si possible, des corrélations.* » La jeune femme s'interrompit, hésita un moment. Elle fixa son regard sur le visage de son mari — elle était passée maître dans l'art de lire l'expression des gens — et lui posa une question avec des gestes lents, délibérés: « *Tu crois que j'ai tort d'agir ainsi?* »

Hur hocha la tête: « *Non, je pense que tu as raison.* » Et son expression n'avait pas démenti sa réponse.

* * *

L'aubergiste s'épongea le front à l'aide de son tablier. Aucun doute, l'été s'annonçait exceptionnellement chaud. Ce qui ne ferait rien pour améliorer la situation. L'homme renifla, fit la grimace. La puanteur empirait de jour en jour. Le risque de contagion aussi, sûrement.

Certains avaient proposé de faire dorénavant débarquer les immigrants aux îles de Boucherville, loin des régions habitées. Le gouvernement, toutefois, avait plutôt décidé de construire d'autres baraquements à la Pointe du Moulin et à la Pointe Saint-Charles.

Peut-être devrait-il fermer l'auberge et s'en aller chez son frère à Saint-Hyacinthe? Là il ne risquerait rien et, après tout, les affaires n'étaient pas très bonnes: deux clients en une semaine... Il fut tiré de ses réflexions par le bruit de pas sur le plancher:

— J'aimerais savoir où sont ces immigrants dont vous me parliez hier, lui demanda son client de Bytown.

— Dans des baraques en bois près de la rue Bridge.

* * *

Yarik avait facilement trouvé l'endroit et contemplait maintenant trois baraques en bois longue chacune d'une soixantaine de mètres. Plusieurs dizaines de personnes — malades ou simplement affaiblies — étaient couchées ou prostrées à même le sol à l'extérieur des baraques. L'Australian en conclut que ces dernières devaient être pleines à capacité.

Lentement, prenant garde où il posait le pied, Yarik se dirigea vers la baraque la plus proche. Il s'efforçait de ne pas respirer par le nez, mais ne pouvait échapper à la puanteur ambiante. Habitué à vivre dans un environnement quasi inodore, il sentait son estomac se révolter.

Le jeune homme serra les dents. La misère de ces gens ne le laissait pas insensible. Toutefois, à ses yeux, ce qu'il découvrait maintenant n'était rien de plus qu'une reconstitution historique. Quelque chose qu'il n'associait pas à la réalité parce qu'il ne considérait comme réel que ce qui appartenait à sa propre époque. Ainsi ne se sentait-il pas directement concerné par la souffrance de ces gens.

Une main se posa sur l'épaule du temponaute. Il pivota, se trouva nez à nez avec un policier à l'air sévère:

— Que faites-vous ici? lui demanda l'homme.

— Je cherche quelqu'un, Patrick O'Donnell. Je voudrais savoir s'il est ici.

— Il y a plus de mille personnes ici. Vous pensez que les religieuses qui les soignent ont le temps de tenir une liste? Désolé, mais il faudra vous adresser ailleurs. Allez, partez d'ici.

9

L'embarquement

Yana et Marc échangèrent un regard. Une ville se dessinait à l'horizon sur le bleu scintillant de la mer: Dublin. La route que suivaient les deux amis était encombrée par une multitude d'autres voyageurs — des paysans qui n'avaient vu d'autre solution que l'émigration. La plupart circulaient à pied et leurs visages portaient les signes de la fatigue.

Arrivés aux limites de la ville, la temponaute et son compagnon se laissèrent guider par cette marée humaine, jusqu'au quartier du port. Au tournant d'une rue, ils se retrouvèrent en vue des quais. L'électronicien fut surpris de découvrir plusieurs centaines de personnes qui semblaient avoir élu domicile là en attendant l'arrivée du navire devant les transporter ou la permission de monter à bord d'un des bateaux se trouvant déjà à quai.

Marc entraîna sa compagne à l'écart. Ils trouvèrent une petite ruelle déserte où ils pouvaient parler en toute tranquillité. Fatiguée, physiquement et moralement, Yana s'appuya contre le mur de pierre d'une maison:

— S'il y a un endroit où nous pourrons apprendre si Kiléon a bel et bien embarqué, c'est au bureau de l'agent maritime, je pense.

— Trouvons d'abord un endroit où nous pourrons nous rendre un peu plus présentables.

Il ne leur fallut pas longtemps pour trouver une auberge à proximité. Ils y entrèrent. L'électronicien s'adressa au patron en anglais, lui demandant une chambre. L'homme les considéra en silence, méfiant. Marc sortit quelques pièces d'argent de sa poche:

— Nous avons de quoi payer.

Marc Greg paya le prix demandé, y ajouta une pièce:

— Pour une bassine d'eau chaude et un bout de savon. Ma femme et moi avons été surpris en route par l'averse, nous voudrions faire un brin de toilette.

Le patron de l'auberge les conduisit à leur chambre, puis s'en fut. Il revint au bout de plusieurs minutes, accompagné d'un jeune garçon. Ils portaient entre eux une bassine pleine d'eau fumante. Lorsqu'ils l'eurent déposée par terre, Marc prit le pain de savon maison et la serviette que lui tendait l'homme puis lui demanda:

— Connaissez-vous le *Nancy*?

— Oui. Il a appareillé il y a environ deux semaines.

— Savez-vous où est le bureau de son agent maritime?

L'autre hocha la tête, lui indiqua le chemin à suivre. L'électronicien le remercia, puis l'aubergiste et le garçon s'en allèrent. Yana referma la porte derrière eux:

— Aussitôt que nous serons présentables, nous irons au bureau de l'agent maritime, annonça l'Australiane tout en s'aspergeant le visage.

— Je pense qu'il vaudrait mieux que j'y aille seul.

— Pourquoi?

— Considérant l'attitude des hommes de l'époque envers les femmes, je pourrai plus facilement obtenir des renseignements si tu ne m'accompagnes pas.

La temponaute grimaça, mais ne dit rien. Marc avait raison et force lui était d'accepter la situation:

— Si Kiléon a effectivement embarqué, continua l'électronicien, j'irai aussitôt à la recherche d'un bateau.

— Entre-temps, j'irai acheter quelques provisions. Nous avons presque épuisé celles que nous a données Fari.

* * *

« Patrick O'Donnell a quitté l'Irlande pour venir au Canada. S'il t'a déjà contacté, fais-le-moi savoir. » Yarik grimaça. Il venait de faire une autre tache d'encre sur le papier. Il trempa une nouvelle fois sa plume dans l'encrier et poursuivit sa lettre: « Sinon, garde l'œil ouvert et préviens-moi sans délai si jamais il se manifeste. »

Nouvelle tache d'encre. Le temponaute pesta, irrité de devoir utiliser un moyen de communication aussi primitif. Dire que chez lui, il pouvait obtenir la communication avec Mars en l'espace d'une minute ou deux. Ici il ne pouvait faire mieux, pour contacter Espar à Québec, que de lui envoyer une lettre! Et encore cette lettre mettrait-elle un jour, peut-être deux pour arriver à destination!

En soupirant, Yarik signa son message: « Éric ». Il étendit le bras pour remettre la plume dans l'encrier et s'aperçut qu'il avait taché sa manche de chemise. Il pesta contre cette époque primitive et contre Kiléon à qui il devait d'être là.

Il avait hâte de retrouver son époque, son domestique électronique et tout le confort de l'ère moderne. Contrairement à Yana, il n'avait jamais aimé les voyages dans le temps. S'il était devenu temponaute, c'était par sens du devoir — il devait aider Yana à chercher Valérie — et dans l'espoir de mériter enfin l'approbation de son père.

Car Yarik avait toujours vécu dans l'ombre de son aînée. Yana était la favorite de son père. Contrairement à Yarik, elle partageait sa passion pour l'histoire. Sans blâmer Yana, le temponaute aurait souhaité que son père soit aussi fier de lui qu'il l'était d'elle. C'était trop demander, sans doute.

Maintenant que Valérie avait été retrouvée, Yarik avait décidé de quitter le service pour trouver une occupation qui lui plaise vraiment et pour se distancer de sa sœur. Son transfert aurait déjà été chose faite s'il n'y avait pas eu cette dernière mission. Une autre chose dont Yarik rendait Kiléon responsable.

* * *

Yana tordit sa robe, qu'elle venait de laver, la secoua, puis l'étendit sur le dossier de la chaise occupant un coin de la chambre. Son bonnet, lui aussi lavé, était accroché au poteau du lit et son châle, plié en deux, sur l'appui de la fenêtre.

La jeune femme drapa la couverture du lit sur ses épaules et s'assit sur le matelas de paille. Elle s'était lavé les cheveux, puis était allée acheter des provisions — ce qui avait demandé un certain temps — et avait ensuite fait sa lessive. Tout ce temps écoulé et toujours aucun signe de Marc. Elle commençait à s'inquiéter.

Entendant soudain cogner à la porte, elle se leva et alla entrebaîller le battant. À la vue de l'électronicien, elle ouvrit la porte pour le laisser entrer:

— Alors? demanda-t-elle sans attendre.

— Kiléon et sa femme sont bel et bien partis pour le Canada à bord du *Nancy.*

— Tu en es sûr?

Son ami hocha la tête et sourit:

— Certain. J'ai raconté à un des employés de l'agent maritime que Kiléon avait filé en douce avec ma sœur et que je voulais à tout prix les rattraper. Je lui ai offert quelques shillings et il s'est empressé de consulter ses registres. J'ai aussi réussi à me faire engager à bord d'un bateau qui appareille demain. Le capitaine m'a promis une petite cabine pour nous deux.

— Alors tout est dit et nous embarquerons pour le Canada demain, conclut l'Australiane.

Elle crut voir briller une lueur de plaisir dans les yeux de son ami. Son imagination qui lui jouait un tour, sans doute...

* * *

Les quais grouillaient d'activité. Appuyée au bastingage du *Waterloo,* Yana observait la foule qui se pressait pour monter à bord. Elle ne pouvait croire qu'il y aurait suffisamment de place pour tous ces gens dans la cale du navire. Certains des passagers, visiblement en pitoyable condition, n'auraient pas dû être autorisés à faire le voyage. Mais à quoi pouvait-on s'attendre lorsque le médecin chargé d'examiner les émigrants se contentait de leur demander de tirer la langue?

Tournant la tête, l'Australiane vit qu'un autre

groupe embarquait présentement à bord d'un second navire. Plus gros que le *Waterloo,* ce bateau semblait aussi plus jeune et en meilleur état. Intriguée, la temponaute pivota en direction de Marc Greg qui se tenait à ses côtés:

— Ce navire-là aussi doit appareiller avec la marée, n'est-ce pas? lui demanda-t-elle.

— Oui.

— Alors pourquoi ne pas avoir embarqué sur celui-là? Il semble en meilleure condition que le *Waterloo.*

Son compagnon hésita. Une expression bizarre passa brièvement sur son visage. Embarras? Culpabilité? Un mélange des deux, aurait juré Yana.

— C'est un bateau canadien, lui expliqua-t-il enfin, le regard tourné vers l'autre navire. J'avais peur que quelqu'un me pose des questions embarrassantes et que je ne puisse jouer correctement mon rôle.

Une réponse plausible. Le drapeau britannique flottait au mât de l'autre navire, mais le Canada n'était encore qu'une colonie de la couronne anglaise. L'Australiane pourtant n'y croyait pas tout à fait. Marc lui cachait quelque chose. Quoi? Elle l'ignorait. Son cœur se serra. Au fil des mois, Marc était devenu son meilleur ami. Elle s'était ouverte à lui sans réserve et souffrait de découvrir qu'il n'en allait pas de même pour lui.

Cette mission — qu'elle avait d'ailleurs entreprise sans enthousiasme — lui pesait de plus en plus. Et qui pouvait dire combien de temps encore il leur faudrait pour retrouver Kiléon? Chose sûre: une fois cette mission terminée, elle prendrait un long congé.

* * *

« FIN DU DOCUMENT. SORTIE DU FICHIER? O/N »

Orla appuya distraitement sur une touche et le texte affiché sur son écran-vidéo s'effaça d'un coup. La jeune femme était perplexe. Elle venait de lire le rapport du responsable de l'équipe de recherchistes chargée de vérifier le contenu des dossiers suspects. Toutes les personnes « apparues » interrogées jusqu'à présent avaient confirmé l'authenticité des informations en mémoire. Par ailleurs, on n'avait encore trouvé aucune trace des personnes « disparues ».

Conclusion, songea Orla, *si le système est contaminé, nous sommes définitivement en présence d'un virus nouveau genre.* En effet, aucun des virus dépistés à ce jour ne pouvait bloquer temporairement l'accès à une partie des informations en mémoire.

Fermant les yeux, l'Australiane essaya de faire le vide, de relaxer. Peut-être accordait-elle trop d'importance à toute cette affaire. Après tout, aucun autre dossier suspect n'avait fait surface; il s'agissait donc, somme toute, d'un problème localisé. *Encore un autre fait qui dément la théorie du virus!*

Décidément, elle devenait obsédée par toute cette histoire. Pourquoi? Elle n'avait plus rien à prouver depuis longtemps. Non, mais elle attachait une importance primordiale à sa carrière. Celle-ci lui avait permis de s'impliquer dans la communauté, de ne plus se sentir à part, isolée des autres.

Orla avait doublement souffert de l'isolement. D'une part, sa surdité rendait difficile la communication avec les entendants. D'autre part, étant donné les progrès de la science médicale, il y avait peu de gens dans sa situation avec lesquels elle pouvait échanger.

Dès son enfance, elle avait travaillé dur pour échapper à cet isolement, et elle avait réussi. Elle avait appris le langage gestuel et le langage oral (langue étrangère qui ne lui permettait pas vraiment d'exprimer ses émotions), puis trouvé une occupation qui avait fait d'elle un membre actif de la communauté. Comment, alors, ne pas prendre son travail si à cœur?

La jeune femme pressa une touche et l'image de son mari apparut sur l'écran-vidéo. Une suite de caractères s'afficha au bas de l'image: « QU'Y A-T-IL? » Les doigts d'Orla s'activèrent sur son clavier. Une pause, puis une nouvelle ligne de texte: « JE VIENS TOUT DE SUITE. »

Moins d'une minute plus tard, Hur fit son entrée. Il suivit avec attention le compte rendu que lui fit Orla sur ce qu'avaient découvert les recherchistes. La directrice lui demanda ensuite ce que lui et son équipe avaient appris.

Hur eut un geste d'impuissance. Jusqu'à présent, ils n'avaient trouvé aucune erreur dans la programmation et aucune des vérifications faites n'avait révélé un défaut du matériel. « *Mais nous ne faisons que commencer. Il faut du temps pour vérifier un système aussi complexe... Les recherchistes n'ont vraiment rien remarqué de particulier?* »

Orla hocha la tête: « *Ils ont découvert que deux des personnes apparues ont une ancêtre commune. Il s'agit maintenant de voir si cela est important ou non.* »

10

Péril en mer

De l'eau, de l'eau et toujours de l'eau. Yana n'avait jamais navigué auparavant. Après treize jours en mer, elle n'appréciait pas beaucoup l'expérience. Elle avait souffert du mal de mer pendant plus d'une semaine et elle s'ennuyait. Marc était accaparé par son travail de matelot. Et il s'était même fait un ami, un des passagers que le capitaine avait embauchés pour compléter son équipage. En échange de ses services, Yana savait qu'il recevait un supplément de nourriture pour sa mère et sa sœur.

La nourriture. Rien de plus que des biscuits de mer moisis et un peu de gruau saturé d'eau de mer. Si l'on ajoutait à cela que l'eau douce devait maintenant être rationnée et que la cale n'avait pas été nettoyée depuis le début du voyage, il ne fallait pas s'étonner que plusieurs passagers soient malades. Le second avait bien essayé d'aider les passagers, mais le capitaine ne lui en avait pas donné les moyens. Déjà deux personnes étaient mortes de ce qu'ils appelaient la « fièvre des navires ».

Le typhus... Marc et elle y avaient jusqu'à

présent échappé, vraisemblablement parce qu'ils étaient en meilleure condition physique que les autres. Mais la durée de vie de leurs antibiotiques était dépassée et ils se retrouvaient maintenant sans protection.

Pour cette raison, l'Australiane évitait désormais de se trouver sur le pont lorsque, deux fois par jour, les émigrants étaient autorisés à y monter. Non. La jeune femme secoua la tête. Ce n'était pas pour cette raison et elle le savait très bien. Elle préférait garder ses distances parce qu'elle se sentait déjà trop touchée, trop concernée par ce que vivaient ces gens et ne voulait pas le devenir encore davantage.

Le premier jour, cependant, elle avait parlé à certains d'entre eux. Ce souvenir lui fit froncer les sourcils. Elle avait alors découvert que plusieurs d'entre eux venaient du comté de Sligo. Ce même comté que Marc avait cherché sur la carte au cours de leur réunion avec Svor. Cette découverte avait confirmé Yana dans son opinion que Marc lui cachait quelque chose. Mais quoi? Elle l'ignorait toujours.

S'arrachant à ses pensées, la jeune femme repartit vers sa cabine. Elle remarqua alors que le pont bougeait davantage sous ses pieds et que le vent avait fraîchi.

* * *

Dès qu'elle émergea des brumes du sommeil, Yana sut que quelque chose n'allait pas. Elle remarqua tout d'abord que le bateau roulait et tanguait dangereusement, prit ensuite conscience du bruit de la pluie battant le pont. Bruit auquel se mêlaient les craquements du navire ainsi que des cris et gémissements venus de la cale.

L'Australiane se redressa sur son étroite couchette, prenant soin de ne pas se cogner la tête sur la couchette supérieure. La minuscule cabine qu'elle partageait avec Marc était plongée dans l'obscurité. Yana s'était couchée tôt parce qu'il n'y avait vraiment rien d'autre à faire. Combien de temps avait-elle dormi? Impossible à dire.

Se penchant pour ramasser à tâtons sa bougie et son briquet à silex, l'Australiane fut prise de nausées. Sa bougie allumée, elle se leva lentement en se retenant d'une main à la paroi. Elle jeta un coup d'œil sur la couchette du haut. Vide. Évidemment, Marc devait se trouver sur le pont avec le reste de l'équipage.

La temponaute entendait toujours les plaintes et gémissements qui montaient de la cale. Cédant à une impulsion, Yana quitta sa cabine et se dirigea vers une petite écoutille qui, elle le savait, menait à la cale.

Sitôt l'écoutille ouverte, elle fut frappée par l'odeur nauséabonde qu'elle avait déjà remarquée lorsqu'on laissait sortir les émigrants. Jamais cependant elle ne lui avait paru si forte. Son estomac se révolta, mais elle ne vomit pas.

Lentement, elle descendit l'échelle et, à la lueur de sa bougie et de quelques lampes, détailla ce qui l'entourait.

La cale était surpeuplée. D'étroites couchettes à trois étages avaient été installées et chacune était occupée par deux ou même trois personnes, dont beaucoup étaient malades et souillées. L'Australiane nota que, malgré le calfatage, de l'eau suintait ici et là entre les planches de la coque.

Une jeune femme s'approcha de Yana:

— Vous êtes la femme de Marc, n'est-ce pas?

La temponaute hocha la tête et l'autre se présenta:

— Je suis Ellen, la sœur de Tom. Peut-être pourriez-vous nous aider à donner un peu d'eau aux malades?

Yana hésita un moment, puis accepta. Tout en suivant la jeune Irlandaise, l'Australiane lui demanda de quel endroit elle et sa famille étaient originaires. Elle ne fut pas autrement surprise d'entendre l'autre répondre qu'ils venaient de cette région même du comté de Sligo à laquelle Marc semblait s'intéresser.

* * *

S'agrippant des deux mains aux cordages, Marc Greg se retourna et courba les épaules pour parer le choc du paquet de mer qui s'abattit sur le pont du *Waterloo*. Reprenant son souffle, il se passa la main sur le visage, puis repoussa ses cheveux mouillés. Il était trempé de la tête aux pieds et aurait préféré être à cent lieues de là.

Malgré tout, il se remit à la tâche, tira sur un des cordages et l'enroula autour d'un taquet. La brûlure du câble rugueux sur ses mains lui rappela certains souvenirs qu'il aurait préféré oublier.

Marc avait été initié à la navigation à voile par son grand-père. Il l'avait accompagné pendant des années, mais il n'aimait pas naviguer. Plus que tout, il détestait sentir le pont bouger sous ses pieds. Il n'avait jamais vraiment appris à absorber le mouvement en pliant les genoux et avait toujours l'impression qu'il allait perdre l'équilibre ou même que le pont allait se dérober sous lui. Une peur irrationnelle, mais néanmoins réelle. Et maintenant que le *Waterloo* était ballotté par la tempête, il devait faire un effort pour garder son calme.

Qu'avait l'habitude de dire sa grand-mère? Ah oui ! Rien de ce qui en vaut vraiment la peine n'est facile. À ce moment précis, il ne doutait plus qu'elle ait eu raison.

Sa tâche accomplie, l'électronicien leva les yeux et aperçut deux silhouettes haut perchées dans le gréement: Tom et un jeune marin occupés à ferler[1] le grand hunier, une des voiles hautes du grand mât.

---

[1] *Ferler*: replier une voile et l'attacher à sa vergue (longue pièce de bois disposée en croix sur le mât).

La tâche en était une dangereuse. Malgré cela, Tom s'était porté volontaire. Par fierté, soupçonnait Marc. Pour prouver que les Irlandais aussi avaient du cœur au ventre.

Soudain, une bourrasque encore plus forte que les autres secoua le navire. Alors qu'un nouveau paquet de mer déferlait sur lui, Marc crut entendre un cri. Levant la tête, il vit que Tom avait lâché prise et se balançait maintenant inerte, la jambe prise dans un cordage. L'autre marin, vraisemblablement paralysé par la peur, ne bougeait plus.

Marc Greg hésita. Ses pensées se bousculaient. Il n'avait pas le droit d'intervenir dans le cours des événements, mais ne l'avait-il pas déjà fait en suggérant au second d'embaucher Tom? Et puis Tom était son ami; il ne pouvait pas l'abandonner.

Décidé, Marc saisit au passage le couteau d'un des hommes et courut rejoindre le second, qui commençait à grimper dans les enfléchures[2]:

— Je m'occupe de Tom, lui cria-t-il.

L'autre acquiesça de la tête. Lorsqu'ils eurent rejoint les deux hommes, le second s'approcha du jeune matelot, lui parla d'un ton calme et réussit enfin à le convaincre de redescendre avec lui. Prenant appui sur le marchepied, le cordage placé sous la vergue, Marc les laissa

---

[2] *Enfléchures*: échelons de cordage permettant de monter dans la mâture.

passer. Une fois la voie dégagée, il s'approcha de Tom, se déplaçant de côté tout en s'agrippant à la vergue des deux mains.

Arrivé à côté de son ami, il s'assit sur le marchepied, se retint à la vergue d'un bras et tendit l'autre main vers Tom. Trop loin. Marc lâcha la vergue, agrippa plutôt le marchepied, puis essaya de nouveau. Sa main passa sous la cuisse de l'Irlandais. Tirant de toutes ses forces, s'aidant de l'épaule dès qu'il le put, Marc fit basculer Tom vers l'avant. Un dernier effort et le corps inanimé se retrouva plié en deux sur le dessus de la vergue. L'électronicien coupa alors la corde retenant la jambe de son ami.

Ayant repris pied sur le marchepied, Marc revint vers les enfléchures tout en tirant le corps de Tom le long de la vergue. Parvenu aux enfléchures, il chargea l'Irlandais sur son épaule et redescendit. En bas, le second et un autre marin l'aidèrent et allongèrent Tom sur le pont. Il avait une énorme bosse sur le front, mais respirait normalement.

Deux hommes se chargèrent de le transporter en bas. Marc les suivit et aperçut Yana, debout devant la porte de leur cabine. Elle s'approcha de lui:

— On m'a dit ce que tu as fait; tu n'aurais pas dû. Tu passes beaucoup trop de temps avec lui. Dans notre situation, il est trop dangereux de s'attacher... Qu'avez-vous donc en commun, lui et toi? Un certain village du comté de Sligo? Tu me caches quelque chose. Je veux savoir ce que c'est.

Frustrée, souffrant toujours de nausées, elle avait parlé d'un ton dur, sans réplique. Marc Greg ouvrit la porte de leur cabine, poussa la jeune femme à l'intérieur. Ayant refermé le battant, il s'y appuya et soupira:

— Je vais tout te dire. J'aurais peut-être dû le faire plus tôt.

Il lui raconta alors comment ses parents avaient trouvé la mort dans un accident lorsqu'il n'avait que trois ans. Comment, n'ayant ni oncles ni tantes, il avait été élevé par ses grands-parents qui, tous deux dans la soixantaine avancée, ne savaient que faire d'un jeune enfant et ne parlaient jamais de leur fille unique:

— Parce que ça leur était trop pénible, je suppose... En vieillissant, j'ai commencé à vouloir en savoir plus sur mes parents: Comment étaient-ils? Seraient-ils fiers de moi?

— Rien de plus normal, remarqua Yana qui se rappelait toutes les questions qu'elle avait posées à son père au sujet de sa mère qu'elle n'avait jamais connue.

— Oui. Mais chaque fois que j'abordais le sujet, mes grands-parents se refermaient encore davantage...

Il reprit son histoire, lui racontant comment sa grand-mère paternelle était morte, à la suite d'une longue maladie, alors qu'il avait onze ans. Et comment la maison de santé où elle avait vécu ses dernières années lui avait envoyé ses quelques objets personnels, dont une boîte renfermant plusieurs photographies et aussi un livre:

— ... une sorte de journal, écrit par mon arrière-arrière-arrière-grand-mère, Clara O'Shea. Elle racontait son enfance en Irlande, son arrivée au Canada en 1847, son mariage. Elle écrivait bien; plus je lisais, plus j'étais fasciné. J'avais l'impression qu'elle était là, qu'elle me parlait. Elle est devenue plus réelle pour moi que mes parents. Grâce à elle, j'ai retrouvé les racines que j'avais perdues à leur mort. J'ai visité son pays d'origine, la région où elle a vécu et la Grosse Île.

La temponaute commençait à comprendre:

— Tu espérais la rencontrer. C'est ça?

— Je sais que ce n'était pas très réaliste; mais, oui, j'espérais un peu.

— Et tu as choisi le *Waterloo* parce qu'il transportait des paysans du comté de Sligo.

— Oui et non. Je me suis renseigné auprès des gens sur les quais. Alors je savais d'où venaient les passagers. Mais je n'ai pas menti au sujet de l'autre navire. Et je n'aurais rien fait pour compromettre la mission.

— Je le sais.

* * *

Intéressant, se dit Orla après avoir lu le dernier rapport de l'équipe de recherchistes qui occupait le plus ses pensées. Toutes les personnes «apparues» avaient maintenant été interrogées. Il avait fallu longtemps pour entrer en communication avec l'une d'elles, un observateur affecté au Klondike en 1898, mais les recherchistes avaient tout de même mené leur tâche à bien.

Quant à l'étude des dossiers, en bonne voie mais pas encore terminée, elle n'avait fait ressortir qu'un point de corrélation: la généalogie. Orla savait maintenant que les liens de parenté découverts, bien qu'éloignés, étaient trop nombreux pour ne pas être significatifs. Un groupe, entre autres, avait été relié à un ancêtre commun des débuts d'Australia, un homme du nom de Tim Peterson.

Quel nom bizarre! songea la directrice des archives. Elle savait que les premiers Australians, survivants de la Grande Catastrophe, portaient un prénom et un nom de famille. Après quelques générations, cependant, cette pratique avait été abandonnée en faveur d'un nom unique.

Orla aurait aimé en apprendre davantage sur ce nom, Tim Peterson. Malheureusement, toutes les archives de la période antérieure à la Grande Catastrophe avaient été accidentellement détruites longtemps auparavant.

Deux questions s'imposaient à l'esprit de la jeune femme. Questions dont les réponses ne seraient jamais que spéculation: Se pouvait-il que toutes les personnes « apparues » descendent d'un ancêtre unique ayant vécu avant la Grande Catastrophe? Et en supposant que oui, que fallait-il en conclure?

11

Sur la piste de Kiléon

La main de Yarik se crispa sur la feuille de papier qu'il venait de lire. Espar avait reçu la visite de Kiléon environ deux semaines plus tôt. *Deux semaines!* ragea le temponaute. L'observateur avait mis longtemps à lui répondre parce qu'il avait dû s'absenter pendant plusieurs jours.

Tout ce temps passé à surveiller l'arrivée des bateaux et à interroger les agents de l'immigration. Et pourquoi? Pour apprendre que Kiléon avait débarqué à Québec! Le temponaute fit une boule de la lettre qu'il tenait toujours. Pour ajouter encore à sa frustration, il ne pouvait partir pour Québec avant son prochain rendez-vous deux jours plus tard.

* * *

Le regard d'Orla se promenait de l'un à l'autre des deux hommes assis en face d'elle. Sur sa droite, son mari et sur sa gauche, Amon, le chef de la division recherches. Elle avait convoqué les deux hommes dans son bureau pour faire le point sur la situation. Les mains croisées devant elle, comme pour se rappeler qu'il lui fallait utiliser le langage oral au bénéfice d'Amon, elle commença:

— Nous travaillons sur ce problème depuis des jours. Qu'avons-nous appris jusqu'à présent? Amon?

Le chef de la division recherches hésita. Jamais plus heureux que lorsqu'il était plongé dans ses documents d'archives, il se sentait toujours un peu mal à l'aise chaque fois qu'il devait participer à quelque conférence ou réunion:

— Eh bien, se décida-t-il enfin, nous avons complété l'étude de tous les dossiers. Toutes les personnes « apparues » descendent de l'un ou l'autre de ces trois Australians de première génération: Joseph Noiseux, Tim Peterson et Laura Kelly. Nous avons interrogé la banque de données du service d'exploration temporelle et parlé à Valérie Ellis qui, comme vous le savez, a vécu avant la Grande Catastrophe. Résultat: nous avons appris que Noiseux est un nom d'origine française.

— Et les deux autres? s'enquit Hur.

— Nous cherchons toujours. Britanniques, peut-être.

— Ça ne nous avance guère, remarqua Orla.

— N'oubliez pas non plus que l'Australie, au cours des deux siècles ayant précédé la Grande Catastrophe, a accueilli des colons et immigrants d'origines diverses.

— Autrement dit, conclut la directrice, nous sommes dans une impasse de ce côté... Hur?

Son mari se redressa sur son siège, adopta son ton le plus professionnel. Orla ne pouvait bien sûr l'entendre, mais le devinait au sérieux de son expression. Son regard s'arrêta sur ses mains qui lui offraient une traduction simultanée:

— Nous avons passé tout le logiciel au peigne fin, programme par programme, et nous n'avons rien trouvé d'anormal, aucun virus.

— Nous devons donc en conclure que le problème vient du matériel... Où en est l'inspection du matériel?

— Rien d'anormal à signaler jusqu'à présent, mais il nous reste littéralement des centaines de vérifications à faire.

— Ne néglige rien. Peu importe le temps que cela prendra puisqu'on n'a noté aucune détérioration du système depuis que l'anomalie a été détectée. Entre-temps, je compte présenter une demande d'assistance au Conseil scientifique. Eux pourront peut-être trouver une explication.

* * *

Le soleil baissait à l'horizon. Yarik tira sur la bride de son cheval et mit pied à terre. Tirant sa monture derrière lui, il s'enfonça dans les bois de cette région encore peu habitée du nord de l'île de Montréal. Arrivé à une petite clairière, il s'arrêta, attacha son cheval à un arbre.

Peu après avoir lu la réponse d'Espar, l'après-midi même, Yarik avait pris une décision. Il n'attendrait pas son prochain rendez-vous avant de se rendre là-bas. Il avait déjà perdu suffisamment de temps. Et la patience n'avait jamais été une de ses vertus.

Il sortit un bout de papier de sa poche, le relut: « Parti à Québec. Établirai contact là-bas pour retour ou reviendrai ici. » Balayant la clairière du regard, il avisa une roche plate. Il la souleva, glissa le message en dessous, puis arracha la boucle d'un de ses souliers et la cacha à la même place.

La boucle contenait l'émetteur de position que tout voyageur temporel devait porter sur lui. Il l'avait mise là pour que son collègue trouve son message, mais ce faisant, il ignorait une importante règle de sécurité. Aveuglé par son désir de retrouver Kiléon (pour en finir avec cette mission et peut-être mériter enfin l'approbation de son père), il ne se rendait pas compte qu'il laissait ses émotions prendre le pas sur sa raison.

* * *

Le lendemain, Yarik fut parmi les premiers à embarquer sur le vapeur assurant la liaison Montréal-Québec. La traversée lui parut longue et ennuyeuse. Ils croisèrent un autre vapeur surchargé d'immigrants, qui remontait le fleuve vers Montréal. Malgré l'odeur qui s'en dégageait, l'Australian n'y prêta guère attention.

Sitôt arrivé à destination, Yarik se dirigea vers Saint-Roch. Espar, qui travaillait au chantier maritime de Québec, habitait ce secteur ouvrier qui portait encore les traces d'un important incendie survenu deux ans plus tôt. Le temponaute s'arrêta devant la modeste demeure de l'observateur et frappa à la porte. Espar vint lui ouvrir, ne cachant pas sa surprise de le voir là:

— Je te croyais à Montréal... Mais entre.

— J'y étais, répondit Yarik pendant que l'autre refermait la porte derrière lui.

— Et pourquoi cherches-tu Kiléon?

— Il a épousé une femme du XIXe siècle et il a quitté l'Irlande sans permission. Pourquoi est-il venu te voir?

— Pour que je lui donne une partie de ma réserve d'antibiotiques. Il m'a raconté que Svor lui avait demandé de se joindre aux immigrants irlandais, qu'il avait dû utiliser toute sa provision d'antibiotiques sur la Grosse Île et qu'il lui en fallait davantage parce qu'il ne se sentait pas complètement remis.

— Et tu l'as cru?

— Pourquoi aurais-je mis son histoire en doute?

Yarik ne répondit rien, se força au calme. Au bout d'un moment, il demanda:

— Sais-tu où il comptait aller en partant d'ici?

— Montmagny, je pense. Je l'ai accompagné jusqu'au marché et là, je l'ai entendu demander si quelqu'un pouvait l'emmener là-bas.

12

Grosse Île

Le *Waterloo* se balançait doucement à moins de deux kilomètres de la Grosse Île, entouré par plusieurs autres navires ayant eux aussi mouillé face à la station de quarantaine. Debout sur le pont, Yana contemplait l'île: une surface rocheuse boisée sur laquelle se détachaient quelques maisons, une chapelle, un quai et les bâtiments et tentes de l'hôpital. À distance, l'endroit semblait paisible, mais les embarcations faisant la navette entre les bateaux et le cimetière à l'extrémité de l'île empêchaient d'oublier la triste réalité.

D'ailleurs, l'Australiane était trop préoccupée pour vraiment apprécier le paysage. Elle n'avait qu'une envie: en finir au plus vite avec cette mission. Mais depuis deux jours qu'ils étaient arrivés, rien ne s'était passé et Yana n'en pouvait plus d'attendre là sans rien faire.

La seconde partie du voyage avait été difficile. Ils avaient essuyé une autre tempête, une dizaine de passagers avaient succombé à la fièvre et beaucoup d'autres n'avaient plus maintenant la force de se lever. Il en avait coûté à la temponaute pour conserver un certain détachement face à toute cette souffrance. Et à sa fatigue émotionnelle s'ajoutait un nouveau malaise physique, un mal de tête lancinant que Yana attribuait à la chaleur — 35 degrés peut-être — chose à laquelle elle n'était pas habituée.

Au matin du troisième jour, enfin, une petite embarcation s'approcha du navire et un médecin monta à bord. Le capitaine en personne l'accueillit. Se tenant à proximité, Marc Greg tendit l'oreille pour saisir ce qu'ils disaient:

— Avez-vous des malades à bord? demanda le docteur.

Le capitaine répondit que oui.

— Alors je vais faire le nécessaire pour qu'ils soient transportés sur l'île, reprit le médecin. Les autres passagers seront examinés. Les bien portants pourront embarquer sur un des vapeurs à destination de Montréal; les autres devront demeurer en quarantaine à bord de votre navire pendant une quinzaine de jours. Nous n'avons plus de place pour eux sur l'île.

Après lui avoir remis certains papiers, le médecin prit congé du capitaine. Aussi impatient que Yana de débarquer sur l'île, Marc s'avança vers le médecin:

— Docteur!

L'autre se retourna, l'interrogea du regard:

— Docteur, répéta l'électronicien. Ma femme et moi voulons nous offrir pour aider sur l'île.

D'abord surpris, l'autre parut ensuite méfiant:

— Vous n'êtes pas irlandais, n'est-ce pas?

— Non, mais ma femme l'est. Elle a perdu toute sa famille là-bas, poursuivit Marc sans trop savoir d'où lui venait l'inspiration. Elle les a vus souffrir. Elle veut maintenant aider les autres autant qu'elle le peut, et je n'ai pas l'intention de l'abandonner.

— Savez-vous à quoi vous vous exposez?

— Oui.

— Très bien, répondit le médecin après un long moment de réflexion. Puisque vous semblez décidés, allez chercher votre femme; je vous emmène avec moi.

Marc ne se le fit pas répéter.

Sitôt débarqués sur l'île, Yana et lui furent conduits auprès du père catholique en charge du personnel non médical. Il envoya la jeune femme s'occuper des malades abrités dans une des baraques, tandis qu'il demanda à Marc de se joindre à l'équipe chargée de transporter l'eau potable aux tentes et baraques.

L'Australiane passa la journée à s'acquitter de sa tâche tout en questionnant le plus de gens possible au sujet du *Nancy,* de Patrick O'Donnell alias Kiléon et de Clara O'Shea. Sans succès. Ayant été remplacée par une autre femme tard dans la soirée, Yana partit à la recherche de Marc. Elle le trouva enfin près de la chapelle, occupé à interroger un ministre protestant. *Alors lui non plus n'a rien appris,* en déduisit la temponaute. Préférant ne pas l'interrompre, elle se tint un peu à l'écart et prêta l'oreille.

L'électronicien questionna l'homme au sujet de Kiléon, puis de son aïeule, Clara O'Shea. L'autre hocha la tête, s'excusa de ne pouvoir l'aider avant de s'éloigner. L'Australiane rejoignit alors son ami:

— Je n'ai rien appris non plus, lui dit-elle tout en s'essuyant le visage.

Elle souffrait toujours de la chaleur, et son mal de tête avait empiré. Marc se massa la nuque:

— Nous aurons peut-être plus de chance demain. En attendant, nous ferions mieux de paser la nuit dans les bois. Nous y serons un peu plus à l'abri de la contagion. Je vais nous chercher deux couvertures et quelque chose à manger.

L'Australiane doutait de pouvoir avaler quoi que ce soit, mais acquiesça tout de même.

* * *

18 heures 40. Orla se massa la nuque. Comme cela lui arrivait souvent, absorbée par son travail, elle n'avait pas vu le temps passer. Plus de deux heures déjà que sa période de travail était terminée.

La jeune femme s'étonna. Normalement, son mari venait toujours la rejoindre à la fin de leur période de travail ou, s'il était retenu, il ne manquait jamais de le lui faire savoir. L'Australiane sourit, amusée. Pour une fois, ce serait elle qui irait l'arracher à son travail!

Elle éteignit son terminal, se leva et sortit de son bureau. Devant elle s'étalait la salle principale du service des archives où se trouvaient une soixantaine de postes de travail. Vu l'heure tardive, seule une dizaine de personnes — la permanence de soir — s'y affairaient encore.

Orla traversa la salle jusqu'au bureau d'Hur, situé presque à l'opposé du sien. À travers la baie vitrée qui en flanquait la porte, la jeune femme aperçut son mari. Il était en grande conversation avec Torim et Voer, deux des ingénieurs informaticiens du service. Tous trois parlaient si vite qu'elle ne pouvait saisir qu'un mot ou deux au passage.

L'Australiane pressa le bouton d'annonce et la porte glissa de côté. Trois paires d'yeux se tournèrent vers Orla:

— J'allais justement t'appeler, dit Hur, si excité qu'il en oubliait presque le langage par signes. Nous avons découvert quelque chose. Voer, dites-lui.

L'autre se tourna vers la directrice et s'exécuta. Il lui expliqua que Torim et lui avaient reçu pour tâche d'examiner certaines des cellules de mémoire où étaient stockés les dossiers « apparus ». Or, en procédant à l'examen des micro-plaquettes du support de mémoire, ils avaient découvert que même si les données étaient codées et datées différemment, elles avaient toutes été enregistrées récemment, par bloc.

Orla échangea un regard avec son mari. Tous deux savaient que cela était impossible. Le système même ajoutait à chaque entrée la date et l'heure qu'indiquait son horloge interne au moment de la mise en mémoire. Une fois stockées, ces informations ne pouvaient en aucun cas être modifiées. Quant à l'horloge interne du système, elle possédait son propre dispositif de vérification et de remise à l'heure:

— Et ce n'est pas tout, affirma Hur. Torim...

Sa collègue hocha la tête. Elle mit Orla au courant du reste. Voer et elle avaient parlé à quelques-uns des techniciens qui, selon les codes d'identification, avaient procédé à l'entrée des données. Certains d'entre eux se *souvenaient* d'avoir mis ces informations en mémoire *à la date indiquée par le système.*

Mieux encore, l'analyse du spectre magnétique avait permis de recouvrer des fragments de l'information stockée précédemment dans les cellules de mémoire et effacée par l'enregistrement des nouvelles données:

— Et avez-vous pu identifier ces données? s'enquit Orla.

— Oui. Il s'agit d'un des dossiers « disparus ».

Les trois informaticiens surveillaient la réaction de leur directrice. Cette dernière haussa les sourcils, se fit songeuse. Au bout d'un moment, son regard se reporta de nouveau sur les autres personnes présentes:

— Beau travail, les félicita-t-elle. Je vais de ce pas informer le président du Conseil scientifique de votre découverte.

* * *

Allongé sur son lit, les mains derrière la tête, Yarik repassa en mémoire les événements de la journée. Arrivé à Montmagny dans l'après-midi, il s'était aussitôt rendu au magasin général. Là, il avait interrogé le marchand, lui décrivant Kiléon sans mentionner de nom parce que l'autre avait pu adopter une nouvelle identité.

Le marchand avait reconnu celui qu'il cherchait. Apparemment, Kiléon se faisait passer pour un Acadien ayant élu domicile sur une des îles de la région. Il avait acheté une grande tente et beaucoup de provisions. Parce qu'il avait une grosse famille, avait-il dit au marchand. Ce dernier avait été formel et Yarik était certain qu'il s'agissait bien de Kiléon. Mais pourquoi l'observateur avait-il parlé d'une famille? *Et puis quelle importance,* se dit le temponaute, *nous l'aurons bientôt retrouvé et ramené à Australia.*

13

La fièvre

À son réveil le lendemain matin, Marc Greg trouva sa compagne brûlante de fièvre et secouée de frissons. Son estomac se contracta. Il ne voyait qu'une explication possible: le typhus. Et les antibiotiques fournis par Fari ne pouvaient plus lui être d'aucun secours. Ayant posé la tête de la jeune femme sur ses cuisses, il repoussa les mèches de cheveux mouillées qui lui barraient le front:

— Pourquoi n'en as-tu rien dit avant?

— Je... je croyais que c'était simplement la chaleur.

S'en remettre à la médecine du XIXe siècle lui laisserait bien peu de chances de survie. Heureusement, Méluk émergeait brièvement chaque soir, du côté nord de l'île, depuis quelques jours déjà. Marc espérait seulement que l'état de Yana ne s'aggraverait pas trop rapidement:

— Tu dois continuer les recherches, lui dit-elle.

— Je ne peux pas te laisser seule, voyons!

— Alors amène-moi à une des baraques.

L'électronicien protesta, mais la temponaute tint bon et ce fut lui qui, finalement, céda. Soulevant la jeune femme dans ses bras, il la porta jusqu'à l'hôpital, lui trouva une place dans une des baraques abritant les malades. À contrecœur, il repartit.

Renonçant à reprendre son rôle de porteur d'eau, il entreprit une vérification systématique de toutes les tentes et baraques qu'il n'avait pas encore visitées. Pour calmer son inquiétude, il revint à maintes reprises auprès de Yana dont l'état lui semblait empirer. Il s'en voulait d'avoir été trop absorbé pour réaliser plus tôt ce qui se passait.

Au milieu de l'après-midi, alors qu'il visitait une autre baraque et interrogeait certains des malades les moins atteints, l'un d'eux lui répondit différemment des autres:

— Je connais Patrick O'Donnell. Nous voyagions sur le même bateau. Sa femme est morte durant la traversée; lui même est parti pour Québec après la période de quarantaine.

Marc Greg le remercia, puis partit retrouver Yana. En chemin, il fut interpellé par un garçon d'une dizaine d'années qui avait entendu dire que Marc cherchait une parente à lui. L'enfant lui raconta que Clara O'Shea avait perdu sa mère et son frère en route et que, elle même malade, elle avait été débarquée sur l'île. Marc le savait déjà:

— Mais elle n'est plus avec notre groupe,

poursuivit le garçon. On pense qu'elle est morte dans la nuit et qu'on a emporté son corps.

L'électronicien savait qu'il n'en était rien, même si, curieusement, le journal de son aïeule ne faisait pas mention de son départ de la Grosse Île. Mais toute cette histoire avait perdu de son importance aux yeux de Marc depuis qu'il avait découvert son amie Yana brûlante de fièvre.

Dès qu'il fut de nouveau auprès d'elle, il lui donna un peu d'eau, puis lui épongea le visage tout en lui rapportant ce qu'il avait appris. Heureusement, la temponaute était encore lucide. Marc Greg redoutait les périodes de délire qui accompagnaient souvent la fièvre.

La jeune femme fit un effort pour parler, sa voix à peine plus forte qu'un murmure:

— Nous avons échoué.

— Pas nécessairement. Tu oublies Yarik. Et puis Svor peut toujours envoyer un autre temponaute à Québec. De toute façon, nous n'avons plus rien à faire ici. Nous pouvons repartir ce soir même.

— Toi, oui; moi, non.

Il avait refusé jusque là de regarder la réalité en face, mais il savait qu'elle disait vrai. Elle était trop faible pour envisager une plongée temporelle:

— Je ne t'abandonnerai pas, lui affirma-t-il. Je vais demander à Méluk de nous procurer d'autres antibiotiques. Tu vas te remettre et ensuite nous partirons, ensemble.

* * *

Yarik avala une longue gorgée d'eau, puis referma sa gourde et la déposa à ses pieds. Ôtant son chapeau, il essuya la sueur qui perlait sur son visage. Le soleil déclinait à l'horizon, mais la chaleur persistait. Yarik avait toujours préféré le froid. Il soupira, remit son chapeau avant de reprendre les rames de son embarcation.

Il lui avait fallu longtemps pour se procurer un bateau. L'avant-midi y avait passé, mais il avait finalement trouvé un paysan qui avait accepté de lui louer sa chaloupe de pêche pour la journée. L'embarcation était vieille, petite et prenait un peu l'eau. L'Australian, cependant, n'avait pas fait le difficile. L'affaire conclue, il était parti en direction de l'île la plus proche.

Sa montre-traceur et une carte de la région placées sur le banc devant lui, Yarik cherchait depuis des heures le repaire de Kiléon. Les muscles de son dos et de ses épaules criaient grâce. Il s'était fait des ampoules aux mains à force de ramer. L'embarcation était bien équipée d'une petite voile, mais le temponaute, n'y entendant rien, ne l'avait hissée qu'une fois. Voyant alors que le bateau ne se dirigeait pas dans la bonne direction, il y avait renoncé.

La clarté du jour faiblissait. S'il voulait regagner Montmagny avant la nuit, il lui fallait prendre maintenant le chemin du retour. L'Australian donna un autre coup de rames, laissa filer l'embarcation pendant qu'il jetait un coup d'œil à son traceur. L'aiguille avait bougé. Il sortit rapidement les rames de l'eau, puis s'empara du traceur. Il n'avait pas rêvé; le traceur avait bel et bien détecté le signal de l'émetteur de Kiléon.

S'aidant de sa carte, il ne mit pas longtemps à situer la provenance du signal, l'endroit où se trouvait Kiléon. Un sourire de satisfaction éclaira le visage de Yarik. *Je vous tiens. Vous ne pouvez plus vous échapper!* Sans attendre, il aurait voulu gagner l'île où s'était réfugié Kiléon, tout en sachant qu'il serait plus sage de n'en rien faire. Le fermier attendait le retour de son embarcation. Sans compter que le soir tombait et qu'ils étaient deux — Kiléon et sa femme — contre lui.

— Mais vous ne perdez rien pour attendre, murmura-t-il tout en remettant ses rames à l'eau.

* * *

Marc Greg s'arrêta, leva les yeux pour s'orienter grâce aux étoiles qui illuminaient le ciel. Satisfait, il reprit sa marche à travers bois en direction de la rive nord inhabitée. De temps à autre, il faisait une pause, soit pour consulter encore les étoiles, soit pour s'assurer qu'aucun garde ne se trouvait à proximité.

Il arriva enfin au lieu de rendez-vous: une petite crique entourée d'arbres au pied d'un escarpement rocheux. L'électronicien se cacha dans les fourrés. N'ayant pas de montre, il ignorait combien de temps il lui faudrait attendre. Assis le dos contre un arbre, il ferma les yeux et tenta sans succès de relaxer.

Enfin, un sifflement emplit l'air. Rouvrant les yeux, Marc se redressa et découvrit le temposcaphe, silhouette grise suspendue au ras de l'eau. L'électronicien se releva, s'approcha rapidement. Il vit le panneau du vaisseau glisser de côté. Méluk avait capté le signal de l'émetteur camouflé dans son soulier. Marc grimpa à bord. Sans perdre de temps, il relata la situation au temponaute en quelques mots:

— Je serai de retour dans trente minutes avec les antibiotiques, déclara ce dernier lorsqu'il eut terminé. C'est l'intervalle minimum requis entre deux retours à la surface au même endroit pour éviter une turbulence spatio-temporelle. En attendant, je te conseille d'écouter ceci.

Sortant un petit objet de sa poche, il le tendit à Marc Greg. L'électronicien reconnut un lecteur miniaturisé. Déjà, Méluk reprenait sa place aux commandes du temposcaphe. Marc débarqua et, sans prêter attention au vaisseau qui disparaissait derrière lui, retourna à sa cachette dans les fourrés. Ayant placé le petit lecteur dans son oreille, il le pressa pour le mettre en marche:

— Rapport du Conseil scientifique, commença une voix inconnue, relatif aux découvertes faites par Orla, directrice du service des archives...

D'abord intrigué, l'électronicien écouta avec une attention croissante. L'enregistrement terminé, il retira le lecteur de son oreille en hochant la tête. La situation était encore plus grave qu'ils ne le pensaient. Marc soupira. Il connaissait Yana. Sitôt au courant de ces faits nouveaux, elle pourrait bien insister pour poursuivre la mission.

Soudain, le temposcaphe se rematérialisa. Marc Greg s'en approcha comme le panneau s'ouvrait. Méluk apparut, lui lança un paquet: les antibiotiques. Marc le remercia d'un geste. Le panneau du temposcaphe se referma aussitôt; Méluk préférait ne pas courir de risques inutiles en s'attardant.

De son côté, l'électronicien avait déjà tourné les talons et repris le chemin des baraques de la quarantaine. Il n'avait guère parcouru qu'une centaine de mètres, lorsqu'il entendit un bruit. S'immobilisant, il tendit l'oreille. Il reconnut le bruit de pas et le son de deux voix qui allaient en s'amplifiant.

Marc distingua la lueur de deux torches, qui se rapprochait. Il regarda autour de lui, aperçut un arbre dont le tronc était suffisamment gros pour le cacher à la vue. Sans bruit, il alla se placer derrière lui, s'y appuya en tentant de se faire le plus petit possible.

Il pouvait maintenant comprendre tout ce que disaient les deux hommes. Risquant un bref coup d'œil dans leur direction, il vit qu'il s'agissait de deux des gardes chargés d'empêcher quiconque de quitter l'île sans permission. Marc Greg dut se résigner à attendre sans bouger pendant ce qui lui parut une éternité. Enfin, les deux hommes se séparèrent et reprirent leur patrouille.

L'électronicien attendit qu'ils se soient suffisamment éloignés, puis repartit sans bruit. Cette fois, il put regagner la zone habitée sans histoire. Courant presque, maintenant qu'il n'avait rien à craindre des gardes, il se dirigea vers la baraque où se trouvait Yana.

Quelques lampes à l'huile en éclairaient l'intérieur. À pas normal, pour ne pas troubler le repos des quelques malades qui parvenaient à dormir, Marc s'approcha de la couchette de l'Australiane. Se penchant pour lui toucher l'épaule, il eut l'impression que le plancher se dérobait sous lui. Une femme et un enfant étaient allongés sur la couchette; mais de Yana, aucune trace!

Marc se redressa, regarda autour de lui. Il ne se trompait pas; c'était bien la bonne couchette. Mais alors où était-elle? Il entreprit de faire le tour de la baraque, jetant un coup d'œil à chaque malade dans l'espoir de reconnaître le visage de Yana.

Entendant des pas derrière lui, il fit volte-face. Un préposé s'approchait, un seau d'eau à la main. Marc Greg le saisit aux épaules, le secoua:

— Où est-elle? lui demanda-t-il.

— Qui?

— La femme qui se trouvait là.

Du menton, l'électronicien indiqua la couchette qu'avait occupée la temponaute:

— Je viens de prendre la relève, répondit l'autre. Mais je sais que cinq malades sont morts et qu'on a emporté leurs corps plus tôt durant la nuit. Celle que vous cherchez faisait sans doute partie du groupe. Je suis désolé.

Marc lâcha prise. Il était arrivé trop tard; elle était morte... Morte. Il s'appuya contre le montant d'une couchette et ferma les yeux. Il se refusait à y croire. Tout comme, enfant, il avait refusé de croire que ses parents étaient partis à jamais. Sa gorge se serra. Yana était sa meilleure amie. Morte? Non! Ce n'était pas possible! Pas elle!

14

Décision difficile

Refusant de se rendre à l'évidence, Marc avait passé la journée à interroger tous ceux qu'il jugeait susceptibles de savoir ce qui était arrivé à Yana. Il avait même réussi à retrouver un des hommes qui avaient emmené les corps des malades décédés au cours de la nuit. Oui, avait répondu l'homme à sa question, il y avait bien une jeune femme parmi les victimes. Mais il n'avait pu la lui décrire, n'ayant porté attention ni à ses vêtements ni à son visage. Malgré tous ses efforts, l'électronicien n'avait rien appris de plus.

À la tombée du jour, il avait abandonné ses recherches et était retourné au lieu de rendez-vous. Caché dans les fourrés, il attendait maintenant le retour du temposcaphe tout en réfléchissant. Devait-il tout raconter à Méluk, puis repartir avec lui pour Australia? Ne valait-il pas mieux ne rien dire pour le moment? Se procurer un traceur pour remplacer celui qu'ils avaient perdu en Irlande et s'en servir pour retrouver Yana? En avoir le cœur net.

Marc Greg secoua la tête. À quoi bon? Il

savait bien qu'elle était morte; il n'y avait pas d'autre explication possible. Il devait l'accepter, faire face à son chagrin au lieu de le nier en se raccrochant à un espoir irrationnel. Et puis il devait penser au bien de la mission. Après tout, Yana avait donné sa vie pour cette mission; il n'avait pas le droit d'en compromettre le succès...

Brusquement tiré de ses pensées, Marc se redressa et tendit l'oreille. Quelqu'un approchait. De sa cachette, l'électronicien vit bientôt apparaître une silhouette masculine se découpant sur le gris de la nuit. Un garde? Non, car l'homme ne portait ni torche ni arme. Il s'arrêta au bord de l'eau, tira une montre de sa poche. L'apercevant de profil, Marc remarqua aussitôt le cadran lumineux de la montre... ou plutôt, du traceur:

— Yarik, appela-t-il tout en sortant de sa cachette. Mais que fais-tu donc ici?

L'Australian sursauta, se retourna:

— Marc! J'espérais bien que Yana ou toi seriez ici. J'ai attendu la nuit pour ramer jusqu'ici et débarquer sans être vu des gardes. J'ai du nouveau; je sais où se trouve Kiléon. Il se cache sur une île au nord d'ici.

La satisfaction et l'enthousiasme de Yarik étaient évidents. L'électronicien ravala péniblement. Il décida d'en finir au plus vite:

— J'ai aussi quelque chose à t'apprendre, commença-t-il, mais ce n'est pas une bonne nouvelle.

Sans attendre, il mit le frère de Yana au courant de ce qui s'était passé depuis leur arrivée à la Grosse Île. Marc vit diverses émotions se succéder sur le visage de son ami à l'annonce de la mort de Yana. D'abord le choc, l'incrédulité, puis la douleur et enfin — ce qui surprit Marc — la colère:

— Tout ça par la faute de Kiléon, affirma Yarik d'un ton aussi révélateur que son expression. Mais il ne s'en tirera pas si facilement! J'y verrai!

L'électronicien s'appliqua à le calmer. Lorsque enfin le temposcaphe se matérialisa, une demi-heure plus tard, les deux hommes s'étaient mis d'accord pour mener la mission à terme. Yarik par désir de vengeance et Marc, pour que la mort de Yana n'ait pas été vaine.

Après un bref entretien avec Méluk, Yarik conduisit Marc Greg à l'endroit où il avait caché sa chaloupe. Ils mirent l'embarcation à l'eau et s'éloignèrent en direction d'une des îles avoisinantes. L'électronicien hissa la voile, moyen de propulsion plus silencieux que les rames:

— Nous devons faire le tour, murmura le temponaute, traceur en main, à l'approche de leur destination.

Marc changea de cap, se dirigeant vers la pointe de l'île. Lorsqu'ils l'eurent doublée, il manœuvra de nouveau pour s'approcher du rivage. L'électronicien amena la voile, puis lui et son compagnon sautèrent à l'eau et tirèrent leur embarcation sur le rivage. L'île était petite, boisée:

— Par là, indiqua Yarik après une nouvelle consultation de son traceur.

Avançant d'un pas aussi silencieux que possible, ils parcoururent quelques centaines de mètres, puis s'arrêtèrent. Devant eux se dressait une assez grande tente recouverte de branchages. Et devant cette tente se tenait un homme, Kiléon. Cédant à la colère, Yarik se rua sur lui et le saisit au collet:

— Nous vous tenons enfin, traître. À cause de vous, ma sœur...

— ... se remet lentement mais sûrement.

Le jeune homme tourna vivement la tête. Yana en personne était debout à l'entrée de la tente, pâle, chancelante, mais bien vivante. Relâchant Kiléon, son frère s'avança pour la serrer dans ses bras:

— Nous te croyions morte.

— À tort, frérot, à tort.

L'Australiane échangea un sourire avec Marc, qui s'était approché à son tour, puis proposa qu'ils s'expliquent à l'intérieur. Allant de surprise en surprise, Yarik et Marc découvrirent qu'une demi-douzaine d'enfants endormis se trouvaient dans l'abri de toile. Soutenue par son frère, Yana s'assit sur une couverture, leva ensuite le yeux vers Kiléon:

— Je pense qu'ils devraient entendre toute

l'histoire de votre bouche, dit-elle à voix basse pour ne pas réveiller les enfants.

Sans protester, Kiléon entreprit de raconter une nouvelle fois son histoire. Il était tombé amoureux de la fille d'un paysan irlandais et l'avait finalement épousée, sans toutefois lui révéler sa véritable identité. Sa belle-famille avait parlé d'émigrer, mais il s'y était opposé... jusqu'à ce que sa femme tombe malade. À son insu, il l'avait guérie avec ses antibiotiques. Mais toute sa réserve y avait passé et craignant toujours pour sa femme, il avait alors accepté d'émigrer.

Sur le bateau, sa femme s'était dévouée pour prendre soin des malades, mais Kiléon, retenu par le Code et sa règle de non-intervention, avait refusé de l'aider. Sans lui faire de reproches, elle en souffrait. Lorsque sa femme était retombée malade et lui avait demandé de la remplacer, ses dernières réticences avaient disparu. Sa femme était morte durant la traversée. Lui avait poursuivi le voyage jusqu'à Québec, déterminé à aider davantage les paysans irlandais.

Il avait obtenu des antibiotiques d'Espar, acheté une chaloupe et élu domicile sur cette île. Et chaque nuit, il se rendait à la Grosse Île en cachette. Il en avait ramené sept enfants malades, tous des orphelins qui étaient maintenant sur la voie de la guérison. La nuit précédente, en visitant les baraques, il avait découvert Yana et compris qu'elle le cherchait. Elle était au plus mal, délirait. Alors il l'avait amenée avec lui, sans savoir qu'elle n'était pas seule.

Lorsque Kiléon se tut, le silence se prolongea un long moment. Yarik finalement le brisa:

— Qu'allons-nous faire maintenant?

— Tu veux dire au sujet de ces enfants? Je n'y ai pas encore vraiment songé.

— Eh bien il va falloir y songer, et sérieusement! Marc, donne-lui le lecteur que t'a laissé Méluk.

L'électronicien tendit le petit appareil à Yana qui, intriguée, le plaça dans son oreille. Parce qu'encore faible, elle dut faire un effort pour assimiler le début du message. Il y était question de dossiers mystérieusement « apparus » ou « disparus » de la mémoire de l'ordinateur archiviste.

Consciente qu'on ne lui aurait pas envoyé cet enregistrement s'il n'existait pas un lien entre cette découverte et sa mission, la temponaute s'interrogeait. Lorsqu'elle eut appris ce qu'avait révélé l'étude des micro-plaquettes, elle crut comprendre. Espérant faire fausse route, elle concentra toute son attention sur la suite du message:

— ... Ayant en main certains renseignements dont ne dispose pas le service des archives, nous en sommes arrivés à la conclusion suivante. La disparition ou apparition de certains dossiers s'expliquerait par un réajustement du présent rendu nécessaire par une ou plusieurs modifications du passé. De plus, la date des réajustements et l'origine ethnique des individus concernés nous portent à croire que l'observateur Kiléon serait responsable de ces modifications.

Yana voyait ses craintes confirmées. Chaque fois que Kiléon, en sauvant la vie d'un enfant, avait modifié le passé tel qu'il existait *avant,* son geste s'était traduit en temps réel transposé à son époque d'origine par un réajustement du présent qui devait se conformer à ce « nouveau » passé.

La mémoire humaine ne conservait aucun souvenir de ce qui était *avant* l'intervention de Kiléon en temps réel. Son ajustement à une histoire « réécrite » était passé inaperçu, mais il en allait autrement pour la mémoire des ordinateurs. La machine n'avait commencé à tenir compte des modifications qu'au moment où celles-ci s'étaient produites en temps réel, d'où l'apparition et la disparition d'informations. De plus, il suffisait d'examiner le support physique de mémoire de l'ordinateur pour savoir de quand dataient les modifications en temps réel.

La voix enregistrée se tut. Jamais auparavant ils n'avaient dû faire face à une telle situation. Que convenait-il de faire? Ramener ces enfants à la Grosse Île et les abandonner à leur sort dans l'espoir que l'histoire reprenne son cours premier? Ou simplement accepter le passé dans sa forme modifiée? Lentement, l'Australiane ôta le lecteur de son oreille:

— Tu avais raison, dit-elle à son frère.

— Oui. Et tout ça par sa faute! gronda-t-il en lançant un regard de mépris à Kiléon.

Celui-ci ouvrit la bouche pour s'expliquer, mais Yarik ne lui en laissa pas le temps. Il le repoussa rudement, puis sortit sans un mot. Yana soupira:

— Quand il sera calmé, je lui parlerai. Je veux qu'il retourne à la Grosse Île pour repartir avec Méluk et aller faire rapport au Conseil. À eux de décider du sort de ces enfants.

— Inutile qu'il retourne à la Grosse Île, affirma l'électronicien. Nous nous sommes entendus avec Méluk pour que le prochain rendez-vous ait lieu ici, sur cette île.

Quelques minutes plus tard, Yarik revint précipitamment:

— Il y a plusieurs hommes rassemblés là d'où nous sommes partis sur la Grosse Île. J'ai compté cinq torches.

— Un des gardes a dû nous voir quitter l'île. Ils vont probablement se mettre à notre recherche, et nous sommes sur l'île la plus proche.

Le temponaute jeta un coup d'œil à sa montre-traceur:

— Méluk devrait être ici avant eux, mais ce sera juste.

— Ce qui signifie que je devrai décider moi-même de ce qu'il convient de faire de ces enfants, murmura sa sœur.

— Le choix est simple. Nous devons les abandonner sur la Grosse Île, minimiser les dégâts.

— Non! s'opposa Kiléon. Ce serait un meurtre.

Pour mettre fin à la discussion, l'Australiane envoya son frère surveiller ce que faisaient les gardes de la quarantaine. Un enfant gémit et Kiléon alla le calmer; Marc le suivit. L'électronicien regarda le visage des enfants endormis. Yana le vit ensuite se pencher vers Kiléon et s'entretenir avec lui à voix basse. Mais elle n'y prêta pas vraiment attention, ses pensées étant ailleurs.

Quelle que soit sa décision, elle affecterait plusieurs existences, passées, présentes et à venir. Qui était-elle pour décider qui méritait de vivre, les orphelins irlandais et leurs descendants ou au contraire les Australians « disparus » et leurs ancêtres? Elle se sentait faible, encore fiévreuse et écrasée sous le poids de ses responsabilités. Elle appela Marc à voix basse, lui demanda son opinion. Mais, à sa grande déception, il refusa de se prononcer:

— Je ne suis qu'un simple électronicien, je ne me sens pas qualifié...

— ... pour prendre la place de Dieu? Moi non plus, mais j'y suis forcée.

Elle ferma les yeux pour tenter de chasser la douleur qui lui serrait le crâne. Une image s'imposa alors à son esprit: le visage d'un enfant polonais aperçu à la veille d'une guerre qui allait faire des millions de victimes. Un enfant qu'elle avait abandonné à son sort et dont le souvenir la hantait depuis. Pourrait-elle supporter de voir d'autres visages s'ajouter à celui-là? Peu à peu, la réponse s'imposa à son esprit. Non. Surtout après ce qu'elle avait vu ici et en Irlande:

— Kiléon, appela-t-elle enfin d'une voix neutre. Réveillez ces enfants et partez d'ici.

Le visage de l'observateur s'éclaira:

— Dieu vous bénisse!

— Dieu veuille surtout que j'aie pris la bonne décision.

L'Australiane préférait vivre avec le souvenir de victimes anonymes, sans visages. Elle se sentait quelque peu honteuse de sa faiblesse, mais savait qu'elle ne reviendrait pas sur sa décision.

Yarik reparut, hors d'haleine, alors que Kiléon avait déjà emmené les enfants:

— Les gardes ne sont plus qu'à quelques centaines de mètres du rivage, et Méluk devrait faire surface dans huit minutes.

— Alors ne perdons pas de temps, commanda sa sœur. Rendons-nous au lieu de rendez-vous.

* * *

L'homme s'arrêta brusquement, les yeux agrandis de peur. Devant lui, un énorme objet métallique sombre et menaçant venait de... d'apparaître d'un coup! En proie à la terreur, le garde n'osait plus bouger et retenait même son souffle. Il vit trois silhouettes s'approcher de l'objet, puis disparaître à l'intérieur de celui-ci par une ouverture qui se referma derrière elles comme par magie. Quelques secondes plus tard, l'étrange objet disparut aussi brusquement qu'il était apparu.

Le garde n'avait toujours pas bougé lorsqu'un de ses compagnons l'interpella plusieurs minutes plus tard. L'homme lui raconta ce qu'il avait vu, mais l'autre se moqua de lui:

— Ou bien tu as trop bu ou bien tu as attrapé la fièvre et tu délires!

* * *

— Yana, nous sommes arrivés.

Au bord de l'évanouissement, l'Australiane ne réagit pas. Elle n'aurait pas dû effectuer une plongée dans son état, mais elle n'avait pas eu le choix. Quelqu'un lui enleva son casque:

— Ça va, murmura-t-elle en fermant les yeux.

Lorsqu'elle les rouvrit enfin, elle vit ses trois compagnons qui l'entouraient:

— Le docteur Ulrek est prévenu, lui annonça Méluk. Tu devras passer quelques jours en isolation.

— Un sursis avant d'affronter le Conseil de discipline... Mais peu m'importe maintenant.

Je voudrais seulement être certaine d'avoir agi pour le mieux.

— Tu l'as fait, déclara Marc d'un ton convaincu.

— Comment peux-tu en être si sûr? demanda Yarik.

— Vous oubliez que mon époque d'origine est différente de la vôtre, que pour moi les conséquences de tout ceci s'étaient déjà fait sentir... Clara O'Shea était une des enfants que Kiléon a sauvés. Sans son geste et le tien, Yana, je n'aurais jamais vu le jour.

— Pourquoi ne m'as-tu rien dit?

— Je ne me sentais pas le droit d'intervenir, de boucler la boucle. Et puis je *savais* que tu prendrais la bonne décision. Mon existence même en était la preuve.

Méluk secoua la tête:

— Après cela, personne ne pourra dire que le temps est linéaire.

Table des matières

Collection
Jeunesse — pop

JUSTICIERS MALGRÉ EUX, Denis Boucher
L'INCONNUE DES LAURENTIDES, Monique Sabella
LES INSURGÉS DE VÉGA 3, Jean-Pierre Charland
BLAKE SE FAIT LA MAIN, Claire Paquette
PIONNIERS DE LA BAIE JAMES, Denis Boucher
LE PIÈGE À BATEAUX, Louis Sutal
L'HÉRITAGE DE BHOR, Jean-Pierre Charland
RAMOK TRAHI, Denis Boucher
DIANE DU GASCOGNE, Sylvestre Zinnato
PIÈGE SUR MESURE, Marie Plante
UNE...DEUX...TROIS PRISES. T'ES MORT, Jean Benoit
LE TOURNOI, Jean Benoit
LA ROULOTTE AUX TRÈFLES, Joseph Lafrenière
POURSUITE SUR LA PETITE-NATION, Claude Lamarche
ÉNIGME EN GRIS ET NOIR, Huguette Landry
LE TABACINIUM, Gaston Otis
LE BIBLIOTRAIN, Joseph Lafrenière
INNOCARBURE À L'ENJEU, Marie Plante
L'ÎLE, Pauline Coulombe
CHANTALE, Joseph Lafrenière
LA BARRIÈRE DU TEMPS, Marie Plante
VIA MIRABEL, Gaston Otis
ORGANISATION ARGUS, Daniel Sernine
LE FILS DU PRÉSIDENT, Alain Bonenfant
LE TRÉSOR DU SCORPION, Daniel Sernine
GLAUSGAB, CRÉATEUR DU MONDE, Louis Landry
GLAUSGAB, LE PROTECTEUR, Louis Landry
KUANUTEN, VENT D'EST, Yves Thériault
L'ÉPÉE ARHAPAL, Daniel Sernine
LE FILS DU SORCIER, Henri Lamoureux
LA CITÉ INCONNUE, Daniel Sernine
ARGUS INTERVIENT, Daniel Sernine
HOCKEYEURS CYBERNÉTIQUES, Denis Côté
L'ARBRE AUX TREMBLEMENTS ROSES, Danièle Simpson

TEMPS PERDU, Charles Montpetit
L'INVISIBLE PUISSANCE, Denis Côté
LES ENVOÛTEMENTS, Daniel Sernine
DE L'AUTRE CÔTÉ DE L'AVENIR, Johanne Massé
LA PISTE DE L'ENCRE, Diane Turcotte
LA PÉNOMBRE JAUNE, Denis Côté
L'ÉTRANGER SOUS LA VILLE, Esther Rochon
MÉTRO CAVERNE, Paul de Grosbois
CONTRE LE TEMPS, Johanne Massé
LE RENDEZ-VOUS DU DÉSERT, Francine Pelletier
LE DOUBLE DANS LA NEIGE, Diane Turcotte
LE MYSTÈRE DE LA RUE DULUTH, Paul de Grosbois
LA MÉMOIRE DES HOMMES, Jean-Michel Lienhardt
ARGUS: MISSION MILLE, Daniel Sernine
MORT SUR LE REDAN, Francine Pelletier
TEMPS MORT, Charles Montpetit
LE CRIME DE L'ENCHANTERESSE, Francine Pelletier
LA NEF DANS LES NUAGES, Daniel Sernine
L'HÉRITAGE DE QADER, Philippe Gauthier
LE PASSÉ EN PÉRIL, Johanne Massé

Imprimé au Canada — Printed in Canada

METROLITHO inc. SHERBROOKE